el manual
para escribir
bien

el manual
para escribir
bien

María del Pilar Montes de Oca Sicilia

Coordinadora

Editorial
OTRAS INQUISICIONES

El manual para escribir bien, 2009
Dirección editorial: María del Pilar Montes de Oca Sicilia
Arte editorial: Victoria García Jolly
Edición: Modesta García Roa, Claudia Arancio

D. R. © Editorial Lectorum, S. A. de C. V.
Batalla de Casa Blanca Manzana 147 Lote 1621
Col. Leyes de Reforma, 3a. Sección
C. P. 09310, México, D. F.
Tel. 5581 3202
www.lectorum.com.mx

Bajo acuerdo con:

© Editorial Otras Inquisiciones, S. A. de C. V.
Pitágoras 736, 1er. piso
Col. Del Valle
C. P. 03100, México, D. F.
Tel. 5448 0430
www.editorialotrasinquisiciones.com

Segunda reimpresión de la segunda edición: agosto de 2011

ISBN: 978-607-457-013-7
Editorial Lectorum, S. A. de C. V.

Diseño de portada: Lourdes Ponce Wainer
Ilustración de portada: Sergio Neri

Nota preliminar

La primera particularidad de esta publicación está fundamentada en que, a diferencia de otros manuales, el que usted tiene en sus manos no va dirigido a un sector exclusivo de la población; mejor aún, está elaborado para que, desde un estudiante de educación básica, hasta un investigador serio, resuelvan sus dudas al momento de escribir cualquier texto, con el objeto de comunicarnos «mejor», porque la lengua es eso, un medio de comunicación. ¿Por qué entrecomillar este término? La segunda particularidad de este manual responde precisamente a este acto, ya que no es una reunión de prescripciones basadas en las reglas que reconoce la Real Academia de la Lengua Española; por el contrario, constituye una suma de los consejos más importantes, apoyados y razonados en el uso real, práctico e indiscutible del español, una lengua —como todas— viva y en constante cambio.

Estamos seguros de que este manual le servirá oportuna y amablemente para precisar cuestiones del lenguaje escrito, y además se divertirá mucho leyéndolo.

María del Pilar Montes de Oca Sicilia
Ciudad de México

&

Presentación

Cuando las palabras iluminan nuestro pensamiento y logramos transmitir nuestras ideas de manera fiel y puntual; cuando nuestra conversación va fluyendo con acierto, con aplomo, con elocuencia, sacudiendo a nuestros interlocutores, persuadiéndolos, conmoviéndolos o, simplemente, recreándolos; cuando el argumento certero ha brotado de nuestros labios para denunciar una injusticia, para concertar voluntades, para hacer la paz; cuando todo esto sucede, nos preguntamos: ¿de qué clase de magia o suerte se trata?

¿Cómo no rendirse ante la fascinación de las palabras? ¿Cómo no encantarse ante la sutil diferencia entre dos sinónimos? ¿Cómo no asombrarse cuando, gracias al poder evocativo de una frase bien cincelada, podemos decir *sí* y decir *no* al mismo tiempo? ¿Cómo no reírse a carcajadas cuando un vocablo altisonante ha derribado los muros de la solemnidad, divirtiendo a todos los presentes? ¿Cómo no ponernos de pie para honrar este maravilloso instrumento de comunicación?

Sabemos que la lengua es una facultad natural del ser humano, una gracia, un don. No obstante, reconocemos que detrás de la brillantez de la expresión subyace el rigor del razonamiento o la misteriosa alquimia de un estilo; somos conscientes de que antes de un texto bien escrito hubo un plano cuidadosamente trazado y un sinfín de maniobras mentales. Así pues, aunque la palabra se nos brinda como un licor exquisito, su dominio exige estudio y disciplina. Ciertamente, la lengua es como un flamante piano a nuestra disposición, y todos somos grandes pianistas en potencia, que debemos aplicar horas de dedicación para conocer y perfeccionar nuestra técnica.

Sin embargo, el estudio del lenguaje puede ser una aventura intelectual, profunda y lúdica a la vez. Así lo percibimos cuando nos adentramos en las páginas de este volumen, el cual nos regala —como golosina— temas lingüísticos sustanciales: cuestiones ortográficas ineludibles, el canto de los signos de puntuación, cápsulas gramaticales en su dosis exacta, disertaciones varias acerca de cómo escribir bien, además de otros temas de interés innegable: ¿por qué se registra cada día con mayor frecuencia la supresión de los signos de interrogación o admiración al inicio de la oración?, ¿será verdad que el punto y coma está desapareciendo?, ¿por qué se dice que la oración es una entidad de dos caras?, ¿qué significan los prefijos *a-*, *archi-*, *cata-*, por ejemplo? o ¿qué significan los sufijos *-algia, -filia, -fago*?

Así, con mucho sabor, *El manual para escribir bien* nos ilustra respondiendo esas preguntas que no nos atrevíamos a plantear o abriendo preguntas que nunca se nos habían venido a la mente. Por ello, si bien este libro puede quedar en nuestro escritorio para consultas frecuentes, está claro que, más allá de los lineamientos que ofrece, nos promete horas de amena lectura y, ante todo, nos despierta la curiosidad por investigar más sobre nuestro idioma. &

Silvia Peña-Alfaro

Escribir es una forma de terapia.
A veces me pregunto
cómo se las arreglan los que no escriben.
Graham Greene

Puntuación

El canto del signo

Poner los puntos sobre las *íes*, dejar que la oración recorra una distancia y luego detener su avance a fin de precisar el pensamiento, señalar intermitencias que amenicen la lectura y coordinar hechos, enfrentar cuestiones incompatibles y ayudar a que la idea fluya pausadamente hacia la ingenua disposición del lector. Todo eso y mucho más descansa en la responsabilidad de los signos de puntuación. Su deber consiste, en buena parte, en proporcionar el sostenimiento debido a la frase, otorgarle arquitectura y hacerla aparecer —de pie, como una estatua que así lo estuviera— igual a un todo armónico.

Al evitar tropiezos al discurso, los signos de puntuación señalan lo adecuadamente relacionado, el firme enlazamiento, la cordial amistad entre cosas, conceptos, palabras y sonidos. Desde los signos de descanso —coma, punto y coma, dos puntos, punto final, puntos suspensivos—, pasando por los de entonación —admiraciones, interrogaciones, paréntesis—, esos guías son imagen de la inevitable camisa de fuerza que opone la cordura a las pasiones, la contención a los desbordamientos. De ahí que la frecuencia de su trato resulte decisiva para que la literatura, arte del tiempo, no se convierta en arte del espacio.

Bajo el manto tutelar de los signos de puntuación, la ira de los escritores enfurecidos halla descanso; el abstruso redactor logra siquiera un ínfimo centímetro de claridad expresiva; el apacible novelista consigue contradecir el aburrimiento de su prosa, y el menos diestro alcanza a percibir el aura de la lógica que lo ampare de las incoherencias.

Signos de entonación:

- admiración
- interrogación
- paréntesis

Signos de descanso:

- coma
- punto y coma
- dos puntos
- punto final
- puntos suspensivos

Digámoslo de una vez: los signos de puntuación han servido, se emplean y serán útiles para conservar el orden al deshacer el caos, descubrir sentido a infinidad de textos y rematar la faena de lo bien escrito.

Signos de puntuación	
Punto	
●	Señala la pausa que marca el final de un enunciado —punto y seguido—, de un párrafo —punto y aparte— o de un texto —punto final.
Coma	
,	Indica una pausa breve que se produce dentro del enunciado.
Punto y coma	
;	Indica una pausa superior a la marcada por la coma e inferior a la señalada por el punto.
Dos puntos	
:	Detienen el discurso para llamar la atención sobre lo que sigue.
Puntos suspensivos	
● ● ●	Suponen una interrupción de la oración o un final impreciso.
Signos de interrogación y de exclamación	
¿? ¡!	Signos dobles —ojo: van siempre al principio y al final— que encierran enunciados que, respectivamente, preguntan o exclaman.
Paréntesis y corchetes	
( ) [ ]	Encierran elementos incidentales o aclaratorios intercalados en un enunciado.
Raya —guión largo—	
—— ——	Encierran aclaraciones, intervenciones en un diálogo; introducen o encierran los comentarios o precisiones del narrador a las intervenciones de los personajes.

Comillas francesas, inglesas y simples

« »
" "
' '

Señalan citas textuales, indican que una palabra o expresión es impropia, vulgar o coloquial, o aclaran el significado de una palabra.

«Lo mío es punto y aparte»

Lo mío es punto y aparte,
tírame pa' lante,
calle, pero elegante.

Tego Calderón

El punto desfila con todo su redondo ser. Algunas veces es tajante; otras, dramático; si se encuentra cómodo, sólo es una pausa necesaria para continuar. Es imprescindible: así es él.

Evidentemente, con el uso del punto no se juega, puesto que nuestras palabras pueden ser un juez duro e implacable. Pero no se trata de una preocupación actual, ya que, desde el siglo XIV, Aldo Manuzio[1] creó un manual invaluable para la historia de la puntuación. En él se discernían algunos criterios para unificar el uso del punto.

Los primeros criterios para unificar el uso del punto se los debemos a Aldo Manuzio.

Ahora bien, vayamos paso a paso o, en este caso, punto por punto. Dejemos para otra ocasión al rebelde e incomprendido punto y coma.

¿CÓMO SE UTILIZA EL PUNTO Y SEGUIDO?

Sirve para separar oraciones en un párrafo, lo que significa que continuamos con la misma idea después del punto y la palabra que le sigue irá en mayúsculas[2] —con la enorme excepción de las abreviaturas[3]—. Por ejemplo:

El *jazz* fue uno de los temas en el que dos estudiosos alemanes

1 Aldo Manuzio (Venecia, 1512-Roma, 1574) provenía de una tradición familiar de impresión, fundó una prolífica imprenta e inventó la tipografía *itálica*.
2 v. «Mayusculismo»; p. 135.
3 v. «Abreviemos»; p. 169.

centraron sus ataques. Después de todo, el propio Adorno era un estupendo ejecutante de piano.

¿Cuándo debemos usar el punto y aparte?

Debemos usar el punto y aparte para separar los párrafos que poseen contenidos diferentes entre sí:

Desde tiempos remotos, el hombre se preocupó por su higiene y creó distintos métodos de aseo.

No cabe duda de que uno de los principales inventos de la humanidad es la regadera.

¿Cuándo podemos poner punto final?

Se coloca al cerrar un texto. Es el último signo de puntuación que pondremos. De ahí la expresión:

Le puse punto final a ese asunto.

Conclusión

El punto es el signo de puntuación que se utiliza en todos los alfabetos latinos. Por ello, hagamos caso a la paloma:

Era una paloma —punto y coma—; se quedó sin nido —punto y seguido—. Pobre animal —punto final.

Una coma en el camino

Si el punto es una pausa necesaria para continuar, la coma es todavía más breve; quizá todo se deba a su etimología: proviene del latín *comma, ae*, que a su vez viene del griego κόμμα /*koma*/, que se refiere a un fragmento o a un miembro corto de un periodo del discurso.

El asunto es que, como piedra en el camino, la coma nos marca que nuestro destino, en el texto que estamos leyendo, es hacer una breve pausa para después continuar. Y aunque no todas las interrupciones llevan coma, siempre que ésta aparece existe el deseo de que la idea expresada quede clara, para darle cierta intención al escrito. Por eso, aunque algunas veces poner una coma depende del gusto de quien escribe, en otras, su presencia es obligatoria:

La palabra *coma* se refiere a un fragmento o miembro corto de un periodo del discurso.

1. Se emplea para separar los miembros de una enumeración. No importa si son sólo palabras o si se trata de frases cortas o largas, a excepción de las que vengan precedidas por alguna de las conjunciones *y, e, o, u.* Por ejemplo:

   Vivir en el campo tiene sus ventajas: es más silencioso, tranquilo, sano *y* económico.

   Creo que todo se debe a que el abuelo es inteligente, nos trata con ternura, nos intriga con sus historias *y* tiene un magnífico sentido del humor.

2. Se coloca coma antes de una conjunción —*ni*, *y*, *o*, *u*— cuando lo que sigue de la oración expresa un contenido distinto de los elementos anteriores:

> Agustín llegó, se sentó, comenzó a escribir, terminó dos horas después, *y* el cuento fue toda una obra de arte.

3. Se escribe coma para aislar, del resto de la oración, el vocativo, es decir, la palabra con la cual llamamos o invocamos a una persona. Por ejemplo:

> *Pepe*, corre y termina pronto tu texto, por favor.

> No cabe duda, *Ximena*, que siempre es mejor fingir que finges, aunque no lo hagas.

4. Los incisos o aposiciones que van en medio del enunciado se escriben entre comas.

✺ Aposiciones explicativas:

> Nicky, *la perra de mi hermano*, solía ladrar por todo; era como si discutiera.

✺ Oraciones subordinadas adjetivas explicativas:

> La Torre Latinoamericana, *que en su momento fue el edificio más alto de Latinoamérica*, necesita recobrar sus años de esplendor.

✺ Cualquier comentario, explicación o precisión a lo dicho:

> Esa aventura, *acaso la postrera para mí*, sería una de tantas para esa resplandeciente y resuelta discípula de Ibsen.

✺ La mención de un autor citado o referencia:

> Siempre, *dice Borges*, es una palabra que no está permitida a los hombres.

5. Cuando se invierte el orden regular de las partes de una oración, anteponiendo, por ejemplo, el circunstancial al sujeto, o cualquier tropo o juego de palabras, se coloca coma después del bloque anticipado:

> *Ayer*, Juan Carlos recibió a Daniel lleno de alegría.

> *Dinero*, ya no le queda.

6. Se acostumbra poner coma antes de una conjunción o locución conjuntiva que une las proposiciones de una oración compuesta.

❋ Antes de las proposiciones adversativas: *pero, mas, aunque, sino*:

> Todavía era temprano, *pero* la lluvia los había ahuyentado.

❋ Antes de *conque, así que, de manera que*:

> Hemos decidido darte el permiso, *así que* ¡corre a preparar tu maleta!

❋ Antes de las proposiciones causativas *porque* y *pues*:

> Desee encontrar a Román, *porque* era una tentación demasiado fuerte darle a entender que conocía el secreto.

❋ Llevan coma los enlaces como *esto es, es decir, o sea, en fin, por último, por consiguiente*; y los adverbios o locuciones adverbiales como *generalmente, posiblemente, efectivamente, finalmente, en definitiva, por regla general, quizá*:

> *En fin*, ésta es la historia que se cuenta y, *posiblemente*, nunca sepamos cuál fue la real.

7. Finalmente, se usa coma cuando se omite un verbo:

El árbol perdió sus hojas; el viejo, su sonrisa.

Vitalle, el placer de vivir.

✗ Uso INCORRECTO

Nunca se debe colocar coma entre sujeto y predicado.

✗ El taller de cuento de Mario, fue una excelente experiencia.

El punto y coma

El punto y coma está desapareciendo,
como los osos.
Sylvie Priou

El punto y coma es «el negrito en el arroz», una especie en peligro de extinción porque, además de incomprendido, se evita como a la peste. No falta quien crea que debe ser expulsado de todos los textos, pues considera que quien lo usa está en las ligas mayores ortográficas. El asunto ha llegado tan lejos que en los diarios en español está en franco desuso. Un recuento hecho en varios periódicos dio como resultado bocas desencajadas, como la del león al que se le atravesó Hércules:

El *punto y coma* no pertenece a las ligas mayores ortográficas.

- *Milenio*: 40
- *Reforma*: 23
- *El mundo*: 18 en total —15 de ellos usados por un solo columnista—
- *El País*: sólo cinco
- *ABC*: ¡únicamente tres![1]

Es innegable, el punto y coma está en extinción, así que haremos nuestra labor a favor de su uso, que es más sencillo de lo que se cree. Y para ejemplificar, quién mejor que Jorge Luis Borges, de quien se dice hacía uso desmesurado, pero preciso, de este signo de puntuación:

1 El análisis de los diarios se realizó el 25 de marzo de 2008.

1. Se usa para enumerar oraciones semejantes y próximas en sentido:

> Llegan cajones de armas largas; llegan una jarra y una palangana de plata para el aposento de la mujer; llegan cortinas de intrincado damasco; llega de las cuchillas, una mañana, un jinete sombrío, de barba cerrada y de poncho.
>
> *El muerto*

2. Para unir oraciones largas e independientes que están escritas en serie:

> No lo disputaban dos individuos sino dos familias ilustres; la partida había sido entablada hace muchos siglos; nadie era capaz de nombrar el olvidado premio, pero se murmuraba que era enorme y quizá infinito...
>
> *El milagro secreto*

3. Se emplea para separar oraciones complejas que ya incluyen coma:

> Fue forjado en Toledo, a fines del siglo pasado; Luis Melián Lafinur se lo dio a mi padre, que lo trajo del Uruguay...
>
> *El puñal*

4. Puede utilizarse antes de los conectores de sentido adversativo —que contrapone dos elementos en la oración—: *sin embargo, empero, en cambio, no obstante*; concesivo —que resulta de una consecuencia no esperada—: *aunque, aun cuando*; o consecutivo —donde un elemento es resultado del otro—: *por tanto, por consiguiente*:

> Según Borges, *La divina comedia* sería un poema que contiene todo, es «el máximo de todas las literaturas». Lo cual me parece una declaración de amor literario

portentosa; aunque, al leer la obra del genio de la biblioteca y el laberinto, me parece haber sentido la presencia de la duda.

Los ensayos dantescos de Borges, Sergio Manríquez

El punto y coma señala una pausa entre dos ideas, superior a la que marca la coma, pero inferior a la del punto. Sus funciones son tan particulares que no pueden reemplazarse con otro signo ortográfico. Por tanto, que no le digan, que no le cuenten: el punto y coma sigue dando batalla.

Entre dos puntos estás...

De todo hay en esta viña del Señor, porque están los puntos de vista y los de fuga; los de ebullición y los de cruz... pero, además, hay otros que nos causan expectación: los dos puntos. ¿Y para qué usarlos —dicen algunos— si tengo esa pausa en el camino que es la coma?[1]

Y nosotros respondemos que al usar coma es evidente que el énfasis desaparecería y la expectación sería menor, así que los dos puntos son insustituibles. Si tiene dudas, lo invito a acercarse a estos ejemplos, algunos tomados de uno de los más hábiles usuarios de los dos puntos: Juan Rulfo.

Los *dos puntos* no se pueden sustituir por otro signo de puntuación.

SE USAN DOS PUNTOS:

1. Para introducir una enumeración:

   Me lo había encontrado en el armario de la cocina, dentro de una cazuela llena de yerbas: hojas de toronjil, flores de Castilla, ramas de ruda.

2. Para anticipar los elementos de una enumeración:

   Hojas de toronjil, flores de Castilla, ramas de ruda: eso lleva el remedio de la abuela.

3. Antes de la reproducción de citas o palabras textuales, las cuales van entre comillas e inician con mayúscula:

---

1 v. «Una coma en el camino»; p. 23.

Traigo los ojos con que ella miró estas cosas, porque me dio sus ojos para ver: «Hay allí, pasando el puerto de Los Colimotes, la vista muy hermosa de una llanura verde, algo amarilla por el maíz maduro».

4. En los encabezados de cartas y documentos:

Querida Chachinita:

¿Nunca te he contado el cuento de que me caes re bien?

5. Al enfatizar una pausa tras locuciones introductorias —*a saber, ahora bien, esto es, pues bien, dicho de otro modo, en otras palabras, más aún*:

Dicho de otro modo: en muchos casos se cambia el nombre del mes, del día y hasta del año, sólo por eludir una rima incómoda.

6. Como conectores, sin necesidad de utilizar otro nexo:

a) Causa-efecto:

Pensé en lo que usted me había enseñado: nunca hay que odiar a nadie.

b) Conclusión, consecuencia o resumen de la oración anterior:

Lo cierto es que él tenía otro oficio: el de «provocador».

c) Explicación o verificación de la oración anterior:

Eso hizo que las cosas despertaran: volaron los totochilos, esos pájaros colorados que habíamos estado viendo jugar entre los amoles.

d) Para separar una ejemplificación del resto del contenido de la oración:

> La obra de Rulfo es inagotable: *Pedro Páramo* es sensorial y metafórica.

7. En textos jurídicos y administrativos —único lugar donde se combinan con la preposición *que*—, en textos esquemáticos, además de usarse en títulos y epígrafes:

> CERTIFICA QUE:
>
> Los bienes y/o proyectos son acreditables...

✗ Uso incorrecto

Es incorrecto cambiar los dos puntos por una coma en los encabezados de las cartas, ya que eso sólo evidencia una mala imitación de la gramática inglesa.

> ✗ Montse,
>
> No sabes el gusto que me da ser tu amiga. De verdad me la paso increíble contigo.
>
> Andrea ✍

¿Y qué pasó entonces...?

Para suspenso, el de las películas de Alfred Hitchcock y el de los puntos suspensivos... O nos va a decir que cuando se encuentra con ellos en un texto, no se queda con la idea de que algo más viene. ¿Qué será? Pues usted ya sabrá si adivinarlo, sobrentenderlo o inventarlo, pero de que algo falta, algo falta.

Por eso se llaman *puntos suspensivos*, porque dejan en suspenso el discurso: interrumpiéndolo, dándolo por conocido o sobrentendido; ya sea indicando vacilación o sugiriendo un final abierto.

Ahora bien, es importante dejar claro que los puntos suspensivos son tres y sólo tres, y no necesitan ser más para cumplir con su función, pues, definitivamente, diez puntos no dan la idea de mayor suspenso, aunque sí nos dejan con un sabor de exageración y de un poco de ignorancia.

Los *puntos suspensivos* son tres y sólo tres.

REGLAS PARA EL USO DE LOS PUNTOS SUSPENSIVOS

1. Deben ir, sin excepción, unidos a la palabra o al signo que los antecede, pero separados siempre del signo o palabra que los sigue:

   > Después de aquella historia, sentía que nunca más podría volver a sentir ni amor, ni pasión, ni energía... ¡ni nada! ¡Simplemente nada!...

2. Si los puntos suspensivos cierran el enunciado, la palabra que sigue debe escribirse con mayúscula:

¡Élla no quería a su propio hijo!... ¿Qué persona podría imaginar eso?

3. Si no cierran el enunciado, la palabra siguiente a los suspensivos debe ir en minúscula:

Emma no había terminado el trabajo y por eso pensé en argumentar un imprevisto como... una inundación en la colonia... Pero creo que nadie, ni Emma, me creyó.

Uso de los puntos suspensivos

1. Al final de enumeraciones abiertas o incompletas, con el mismo valor de la palabra *etcétera*:

Ardió su cuerpo, su ropa, la cama, la recámara, la casa, una manzana entera, su barrio, la ciudad...

2. Cuando es necesario expresar que antes de lo que va a continuar, ha habido un momento de duda, sorpresa, temor o vacilación:

Podrán vivir... Pero es menester que no se amen, sino que, por el contrario, se detesten.

3. Para dejar un enunciado incompleto y en suspenso:

¡Soy yo!... Ése es mi reloj de pulsera con un brazalete extensible... Soy yo.

4. Cuando se reproduce una cita textual y se omite una parte:

Buenísima esa canción de Sabina: «Dueña de un corazón tan cinco estrellas, que hasta el hijo de un dios, una vez que la vio...»

5. Dentro de corchetes [...] cuando, al transcribir literalmente un texto, se omite una parte de él:

«El modernismo hispanoamericano toma su nombre del culto a lo "moderno" [...]. El modernismo significa, entonces, el primer grito de nuestra independencia cultural...»

¡¿Que qué?!

Una de las tantas malformaciones y atrocidades de nuestra escritura —que vemos cada día con mayor frecuencia— es la de omitir al inicio de la oración los signos de interrogación y admiración.

Esta práctica es, en realidad, un síntoma claro del síndrome de la pereza, o bien, un calco semántico de la norma inglesa, que exige únicamente la indicación interrogativa o admirativa al final de la oración? —¡Ah, verdad! ¿Ya ven lo que se siente empezar a leer un texto pensando que se trata de una proposición declarativa, para encontrarse, al final de todo «el chorizo» con que era una pregunta, y tener que leerlo todo, una vez más, para darle el sentido correcto?— ¿Y cómo podían nuestros lectores saber que la nota anterior era una pregunta y no un reproche?

Nunca se deben omitir al inicio de la oración los signos de admiración e interrogación.

Cito ahora este caso: un mensaje escrito por una compañera de trabajo, que ejemplifica muy bien la diferencia que un par de signos —y una coma— pueden hacer en un mensaje escrito.

> Ernesto, este programa está en el *share*, no lo vi, por favor me pones al tanto. Gracias.
>
> *Claudia Ramírez Freytes*
>
> Traducción: «Ernesto, ¿este programa está en el *share*? No lo vi, por favor, ¿me pones al tanto?»

¿Ahora entienden a lo que me refiero?

¡Basta! ¡Ni una omisión más!

El inglés, así como otros idiomas, sólo exige el signo al final porque la interrogación altera el orden del sujeto y el verbo, de tal forma que desde el inicio de la oración se sabe claramente que es una pregunta —*you have gone* vs. *have you gone*? Visto así, el inglés hace, de hecho, una doble marcación de la interrogación, por lo que, el signo final es casi irrelevante.

Sin embargo, el español no hace ningún ajuste de orden a la oración para distinguir las declaraciones de las interrogaciones. Por ello, la marcación del signo al inicio es fundamental para indicarle al lector que comienza una pregunta.

En el caso específico de las expresiones admirativas, ni el inglés ni el español lo marcan alterando el orden natural de los componentes de la oración y, de hecho, ambos debieran marcarlo tanto al inicio, como al final. No obstante, somos nosotros los que copiamos los malos hábitos de los otros y no al revés. Al parecer, en este caso, pudo más el malinchismo de las plumas hispanoescribientes. &

Entre paréntesis

*Hacer paréntesis es entrar en una
dimensión distinta, como cuando uno se despoja de las
ropas y el cansancio y se introduce en el agua tibia
de una tina.*

Carmen Villoro

Las conversaciones, los discursos y los textos ocasionalmente deben interrumpirse para aclarar, ampliar o bien proponer una idea distinta a la que se está expresando, aunque esté relacionada con ella. Es entonces cuando hacen su aparición signos de puntuación como los paréntesis, los corchetes o las rayas —también llamados *guiones largos*—, los cuales nos ayudan a introducir reflexiones, oraciones o frases incidentales que complementan o aclaran lo que se está hablando, aunque no son indispensables; por ello, se encierran en ese espacio que es un momento de respiro o de ideas nuevas en el escrito.

Los tres, los paréntesis, los corchetes y las rayas, son signos ortográficos dobles. Así, cada vez que abrimos un paréntesis o un corchete, debemos cerrarlo.

Los *paréntesis*, los *corchetes* y las *rayas* son signos ortográficos dobles, y siempre que se abren deben cerrarse.

La junta (se realiza cada miércoles desde 1991) duró mucho más de lo habitual.

Le gustaba observar sus ojos (siempre había creído que era en ellos donde reside la verdad [la que está llena de sencillez y libre de fingimiento]). De hecho, podía perderse en esa mirada.

No obstante, esta regla no se aplica en las rayas, las cuales pueden abrirse, pero no necesariamente cerrarse cuando les sigue un punto:

> Tomaba el tren de ida cada viernes —a menos que estuviera nevando—, y el de vuelta todos los lunes.

> Es muy fácil querer ver sólo lo que nuestros ojos nos muestran y olvidar que también olemos, probamos, sentimos y escuchamos —la realidad siempre es mucho más de lo evidente.

Estos signos deben colocarse pegados a la primera palabra y a la última de la acotación que enmarcan.

Lo que sí se debe cuidar en los tres casos es su posición dentro del texto: pegados a la primera y a la última palabra de la acotación que enmarcan, y separados por un espacio de las palabras que los preceden o los siguen.

Por último —y para cerrar paréntesis—, es importante señalar que hay otro signo de puntuación que le hace la competencia a estos tres —ya que los corchetes funcionan de forma parecida a los paréntesis—: la coma,[1] pues también se usa para acotar ideas; sin embargo, en otro orden:

Signo ortográfico	Uso
Paréntesis y corchetes	
	Enmarcan incisos con un mayor grado de aislamiento del enunciado que encierran respecto al texto en el que se insertan; por ello, los incisos entre paréntesis suelen ser normalmente oraciones con sentido pleno y poca o nula vinculación sintáctica con los elementos del texto principal:

---

1 v. «Una coma en el camino»; p. 23.

El interfecto (*interfecto* se refiere a una persona que ha sido asesinada y no a alguien de quien se habla) permanecía aún en su silla y, frente a él, su plato de cereal.

Raya —guión largo—

Encierra textos aún más alejados de la idea central en la que se insertan, que aquellos que se escriben entre comas, aunque menos que los que se escriben entre paréntesis:

Se trataba de ser honesto —no con los demás, sino con él mismo—, nada más que de ello.

Coma

Delimita incisos explicativos o comentarios que no se desligan por completo del texto en el que se insertan:

Eligió la estrella de la izquierda, la que más brillaba, para que su deseo se cumpliera.

Hasta aquí ya sabemos que los paréntesis, corchetes y rayas —o guiones largos— se usan para acotar las reflexiones, oraciones o frases incidentales que complementan o aclaran lo que se está hablando. Pero, como éste es sólo uno de sus usos, entonces nos dimos a la tarea de ampliar el paréntesis, así que aquí les va una guía completa de cómo emplearlos y su combinación con otros signos, para que no haya la menor duda.

Los *paréntesis, corchetes* y *rayas* se usan para acotar reflexiones.

Paréntesis

Uso	Ejemplo
Para intercalar algún dato: fechas, lugares, siglas —ya explicadas—, el nombre de un autor o de una obra citados.	Italia fue el equipo ganador de la copa mundial de la Federación Internacional de Futbol Asociación (FIFA) 2006.

Regla	Ejemplo
Para introducir opciones en un texto. Entre paréntesis se encierra la alternativa: una palabra o uno de sus segmentos. Los paréntesis van pegados a la palabra referida.	El (los) documento(s) deberá(n) ir dentro de un sobre que llevará escrito el nombre del alumno(a).
En las obras teatrales, para encerrar las acotaciones del autor, las descripciones o los apartes de los personajes.	ROMEO: ¿Así que me provocas? Pues toma, muchacho. (*Lucha*.) (*Entra el paje de Paris*.) PAJE: ¡Dios del cielo, están luchando! Llamaré a la guardia. (Sale.)

¿Cómo combinarlos con otros signos de puntuación?

Regla	Ejemplo
Los signos de puntuación que corresponden al periodo en el que va inserto el texto entre paréntesis, se colocan después del paréntesis de cierre.	Vino por la tarde (Jesús adora caminar mientras el sol baja la guardia), pero ella ya no estaba.
Solamente se colocan los signos de puntuación necesarios como si no se usaran los paréntesis; por ejemplo, el punto.	Me sorprende todo lo que sabe (¿sabías que es autodidacta?) y su facilidad para compartirlo.
Por ser un texto independiente, se respeta la puntuación dentro de los paréntesis.	La pregunta es: ¿por qué (y sólo responde el porqué, no el cómo, dónde, cuándo...) fuiste?

Raya —guión largo—

Uso y combinación con otros signos	Ejemplo
Para introducir una nueva aclaración o inciso en un texto ya encerrado entre paréntesis.	Le di el libro a María (la mejor alumna —y la más alegre— de la clase) como premio.
Para reproducir un diálogo en el que no se menciona el nombre de cada interlocutor. No se debe dejar espacio entre el guión y el comienzo de cada intervención.	—Y si yo me enamorara de ti, ¿qué harías? Karen lo miró incrédula. —Pero si tú eres un turista. —¿Y qué? —Pues que luego te vas a tu país, con tu gente. Yo me quedo acá, con la mía.[2]
En textos narrativos, para introducir o enmarcar los comentarios y precisiones del narrador a las intervenciones de los personajes.	—¿No se oye nunca otra cosa? —preguntó. —Poole asintió con la cabeza. —Una vez —dijo—, una vez lo oí llorar.[3]
Para enmarcar los comentarios del transcriptor de una cita textual.	—¿Cómo la mataré? —pensaba el pastor—; ¿cómo la mataría para que durase mucho muriendo?

2 María Luisa Puga, *Las posibilidades del odio.*
3 Robert Louis Stevenson, *El extraño caso del Dr. Jekyll y Mr. Hyde.*

Corchetes

Uso y combinación con otros signos	Ejemplo
Para introducir precisiones o notas aclaratorias en una oración que ya contaba con paréntesis.	Para él, la claridad incluía lo que ahora veía (había nacido en la ciudad [cochambrosa y velada, como todas], no en el campo), por ello no entendía por qué su compañera sentía la asfixia de lo sombrío.
Para acotar aquellas aclaraciones o enmiendas que se interpolan en una transcripción textual.	El divino suceso [de enamorarse] se origina cuando se dan ciertas rigurosas condiciones en el sujeto [el amante] y en el objeto [el amado]. Muy pocos pueden ser amantes y muy pocos amados.[4]
Para encerrar tres puntos, que indican que en la transcripción de un texto se ha omitido un fragmento del original.	Dejando de lado los motivos, atengámonos a la manera correcta de llorar [...]. Duración media del llanto, tres minutos.[5]

Nota:
Debemos tener en cuenta que los corchetes siguen las mismas reglas que los paréntesis al combinarse con otros signos de puntuación.

4 José Ortega y Gasset, *Estudios sobre el amor.*
5 Julio Cortázar, «Instrucciones para llorar», en Manual de Instrucciones, *Historias de cronopios y de famas.*

Hay de Comillas a «comillas»

Al decir *comillas*, quisiera pensar sólo en esa maravillosa región tan cambiante y vertiginosa de la que algunos aseguran nunca volverás a tomar la misma fotografía —hablo de Comillas, localizada en la costa occidental de Cantabria, España—; sin embargo, de inmediato pienso en el signo de puntuación, con todas sus variantes.

Hay diferentes comillas: las angulares, llamadas latinas y francesas («»); las más usadas, son las inglesas (" "), también están las simples (' '). En general, las comillas se usan cuando queremos:

Comillas:
- Francesas
- Inglesas
- Simples

1. Reproducir citas textuales:

> Leyó en voz alta:
>
> «Cotidiano, fresco como cada día o antigua herencia milenaria, el saludo es el picaporte que abre un encuentro, el broche de una conversación».

2. Citar, dentro de un enunciado, palabras textuales mediante estilo directo:

> Es muy difícil que los ricos pasen por el agujero de la aguja, pero hay esperanza: «Todas las personas interesadas en que el camello pase por el ojo de la aguja, deben inscribir su nombre en la lista de patrocinadores del experimento Niklaus», como en el cuento *En verdad os digo* de Arreola.

3. Señalar de modo directo los diálogos dentro de un texto narrativo:

> Se les habla de grutas, de cataratas o de ruinas célebres: «Quince minutos para que admiren ustedes la gruta tal o cual», dice amablemente el conductor.

4. Distinguir la intencionalidad de una palabra —ya sea en sentido irónico, ya sea diferente del cotidiano —, y para señalar un sobrenombre o una definición:

> Era la rica joven romana, la noble doncella, y por primera vez se sintió el artista satisfecho de su obra. Para él tenía una especial significación: era «ella».

> El título es revelador, pues Arreola sabía que *Cervantes* viene del latín y significa *«hijo de ciervo»*: un «apellido sin limpieza».

5. Referir el título de un poema, un cuento, un artículo de diario, un cuadro, alguna obra artística, etcétera:

> Eso lo escribió en «Tres días y un cenicero».

Peculiaridades del uso de las comillas

Cuando dentro de lo entrecomillado aparece una segunda cita, se usarían otras comillas y, si dentro de ella hay otra más, se sigue este orden: «"... '...' ..."».

Los signos de puntuación que preceden y suceden a las comillas se colocan fuera de ellas. Dentro de las comillas, la puntuación debe respetarse.

Si se ha citado un párrafo y éste constituye el final del enunciado previo, el punto debe colocarse después de las comillas de cierre.

Acentuación

Examen de «ingles» para señoritas

De mis recuerdos más gratos de la Facultad de Filosofía y Letras, guardo todas y cada una de las clases de mi profesor, mi maestro, Bulmaro Reyes, experto de la palabra, quien en un paréntesis de la clase de Retórica dijo: «Deben poner acentos, porque no es lo mismo "examen de ingles para señoritas que examen de inglés para señoritas"».

Es muy fácil acentuar las palabras correctamente, pues las reglas se condesan en dos importantes:

> 1. Localizar la sílaba tónica.
> 2. Ver si la palabra termina en *n, s* o *vocal.*

Pero, para quien es principiante en esto de poner rayitas oblicuas sobre las vocales, a continuación leerá una explicación clara y detenida.

Acento: rayita oblicua que baja de derecha a izquierda y se coloca en algunas vocales para indicar que la sílaba en la que se encuentra debe pronunciarse con mayor intensidad.

LAS VOCALES SE CLASIFICAN EN:

Débiles *—i, u—* y fuertes *—a, e, o—*

Es importante recordar esta clasificación, porque es fundamental para acentuar correctamente las palabras.

LA SÍLABA

Suele definirse como la letra o conjunto de letras que se pronuncian en una sola emisión de voz.

Ejemplos:

| pan-ta-lón | lá-piz | cán-ta-ro |
| com-pás | pá-ja-ro | de-vuél-ve-se-lo |

LA SÍLABAS SE CLASIFICAN EN TÓNICAS Y ÁTONAS

Sílaba tónica

Se le llama *sílaba tónica* a aquella en la que recae el sonido fuerte de la palabra.

Ejemplos:

En la palabra *canción*, la sílaba tónica es *-ción.*

En la palabra *azul*, la sílaba tónica es *-zul.*

Sílaba átona

Es aquella en la que no recae el sonido fuerte de la palabra.

Ejemplos:

En la palabra *canción*, la sílaba átona es *can-.*

En la palabra *azul* es *a-.*

EL ACENTO

Es un fenómeno lingüístico que nos indica el lugar en donde se ubica la sílaba —vocal— tónica.

Ejemplos:

pantalón	lápiz	cántaro
compás	pájaro	devuélveselo
carácter	canción	azul

CLASIFICACIÓN DEL ACENTO

Acento prosódico

Es el que sólo suena.

Ejemplos:

en *gato,* recae en la *a*

en *gesto,* en la *e*

dilo, en la *i*

gota lo lleva en la *o*

azul, en la *u*

Acento ortográfico

Es la tilde (´) que se coloca sobre la vocal tónica.

Ejemplo:

pantalón

El acento ortográfico se subdivide, a su vez, en *normativo, diacrítico* y *enfático*:

Acento normativo

Es el que obedece a las reglas de acentuación dadas por el uso.

Acento diacrítico

Sirve para diferenciar las funciones de las palabras en una oración gramatical.

Ejemplos:

Él es un pronombre personal: *Él* me lo dijo —*él* se está refiriendo a una persona.

El artículo periodístico es interesante: *El* es artículo determinado.

Acento enfático

Su función es dar fuerza expresiva a determinadas palabras al utilizarse en forma interrogativa.

Ejemplos:

qué	cómo	dónde
quién	cuándo	cuál

CLASIFICACIÓN DE LAS PALABRAS

Las palabras, según su acentuación, se clasifican en:

agudas

graves

esdrújulas

sobresdrújulas

Palabras agudas

Son las que llevan la sílaba tónica en último lugar y se acentúan ortográficamente las que terminan en *n, s* o *vocal* —salvo excepciones.

Ejemplos:

canción	compás	triunfó

Azul y *arroz*, también son agudas; sin embargo, no se acentúan ortográficamente porque no terminan en *n, s* ni *vocal*. Es decir, el acento es prosódico.

Palabras graves

Son las que llevan la sílaba tónica en penúltimo lugar y se acentúan ortográficamente cuando no terminan en *n, s* o *vocal* —salvo excepciones.

Ejemplos:

| carácter | lápiz | fácil |

Dicen, eres, alimento, mesa, también son graves, pero no se acentúan ortográficamente debido a que terminan en n, s y vocal. Es decir, el acento que llevan es prosódico.

Palabras esdrújulas

Son las que llevan la sílaba tónica en antepenúltimo lugar y siempre se acentúan ortográficamente. No hay excepciones en las esdrújulas.

Ejemplos:

| esdrújula | pájaro | cántaro |

Palabras sobresdrújulas

Son las que llevan la sílaba tónica antes del antepenúltimo lugar y siempre se acentúan ortográficamente. Tampoco tienen excepciones.

Ejemplos:

| devuélveselo | plácidamente | solicitándoselo |

EXCEPCIONES Y OTRAS PECULIARIDADES

Mencionamos que en las palabras agudas y en las graves existían excepciones:

1. Vocal débil tónica al lado de una fuerte átona, se acentúa independientemente de la letra en que termine la palabra. A esta figura gramatical se le llama *adiptongo*.
   Ejemplos:

   | ma-íz | continú-a | librerí-a |

2. Cuando se intercala una *h* entre dos vocales.
   Ejemplos:

   | a-hín-co | pro-hí-bo | re-hú-sa |

3. Si la palabra lleva acento, lo conserva cuando se le añade la terminación -*mente*.

    Ejemplos:

    plácida, plácidamente

    común, comúnmente

    espontánea, espontáneamente

4. Cuando se unen dos palabras que llevan acento, sólo lo conserva la segunda.

    Ejemplo:

    trigesimoséptimo

5. Las palabras que están unidas por guión se acentúan ortográficamente. Ambas conservan el acento.

    Ejemplos:

    físico-químico   político-económico

6. Las mayúsculas sí se acentúan.[1]

    Ejemplos:

    Álgebra   Álvarez   ARTÍCULO

7. Generalmente, los monosílabos no se acentúan, salvo en el caso del acento diacrítico.[2]

    Ejemplos:

    fue   di   vio

8. Se suprime el acento en las palabras compuestas cuando solamente la primera lo lleva.

    Ejemplo:

    rioplatense

---

1 v. «Mayusculismo»; p. 135.
2 v. el capítulo siguiente; p. 59.

9. Las voces neutras no se acentúan.

Ejemplos:

esto   eso   aquello

10. La combinación vocálica *ui* siempre se considera diptongo y se sujeta a las normas generales de acentuación.

Ejemplos:

casuístico: se acentúa porque es esdrújula.

jesuita: no se acentúa porque es grave
y termina en vocal.

«Lo crítico del acento diacrítico»

Acentuar es como un juego de táctica: se deben conocer muy bien las reglas para saber dónde y cuándo colocar la tilde. Y las reglas no son tan difíciles, sólo hay que identificar si la palabra es aguda, grave o esdrújula.[1] Pero éste, como todo juego que se respete, tiene sus excepciones y especializaciones; entre ellas, el acento diacrítico.

Lo crítico del acento diacrítico es que ahora no sólo se trata de saber cuál es la sílaba tónica de la palabra, sino de identificar si es homónima de otra —términos que tienen igual estructura, pero diferente significado— y comprender cuál es su categoría gramatical; y, entonces sí, decidir si lleva tilde o no. Y es que un acento diacrítico es un «signo ortográfico que sirve para dar a una letra o a una palabra algún valor distintivo»;[2] es decir, su misión es distinguir la función de una palabra en un texto al marcar diferencias.

Sin embargo, aunque parece complicado, no lo es; sólo se trata de observar con atención lo que queremos decir con tal o cual palabra y usar el acento.

La regla para los monosílabos indica que no se acentúan, a excepción de que sean homónimos, como los que se enumeran a continuación:

Lo crítico del *acento diacrítico* es idenfificar si una palabra es homónima de otra.

1 v. el capítulo anterior; p. 51.
2 *Diccionario de la Lengua Española*, 22a. ed., Real Academia Española, 2001.

Monosílabos		Ejemplo
te	pronombre personal	¿*Te* gusta el *té*?
té	infusión	
si	conjunción condicional	*Si* viene en el próximo tren,
sí	adverbio afirmativo	no harán falta más preguntas,
sí	pronombre personal[3]	simplemente le diré que *sí*.
si	nota musical	Tanto dudar y dudar. ¡Se lo prometió a *sí* mismo! Es como intentar interpretar la nota correcta y terminar siempre desafinando en tono de *si*.
tú	pronombre personal	¿Que si me da alegría?, ¡por
tu	adjetivo posesivo	supuesto! *Tú* siempre me compartiste *tu* experiencia, *tu* aliento y *tu* ilusión. Que *tú* seas feliz es mi mayor deseo.
dé	presente subjuntivo del verbo dar	Dile que te *dé* el mantel *de* seda; sí, el que era *de* nuestra
de	preposición	abuela.
mi	adjetivo posesivo	*Mi* canto, el que realmente
mí	pronombre personal	proviene de *mí*, es el mejor
mi	nota musical	regalo que le hago a la vida. Entono: do, re, *mi*, fa, sol, la, si… y dejo salir la melodía que emana de *mi* interior.
más	adverbio comparativo	«Uno *más* uno da dos»; eso
mas	conjunción adversativa	me gusta *más*, la certidumbre. *Mas* no creas que no disfruto las sorpresas; sin duda, condimentan la vida.

3. v. «En lugar del nombre»; p. 107.

Monosílabos		Ejemplo
el	artículo masculino	*El* análisis sociodemográfico
él	pronombre personal	que Juan hizo es muy
		interesante. *Él* piensa que sólo
		así podrá conocer bien *el* lugar
		donde vive.
sé	presente indicativo del verbo saber	Yo no *sé* por qué insistes en ir
		a aclarar el malentendido; en
sé	imperativo del verbo ser	todo caso, *sé* prudente y no
		pretendas que todo *se* arregle
se	pronombre reflexivo	de inmediato. Recuerda que
se	pronombre personal	lo importante no es cuántas
		veces *se* lo repitas, sino cómo
		se lo digas.

Sólo o *solo*

Sólo cuando te enfrentas solo a la hazaña de explicar cuándo es que *solo* —¿o *sólo*?— lleva tilde, puedes descubrir que, en realidad, no es tan difícil encontrar la diferencia.

En principio, *sólo* y *solo* no tienen el mismo significado. *Sólo*, con tilde, se refiere a «solamente» o «únicamente». En cambio, *solo* significa «sin compañía» o «único» —se relaciona con *soledad*—, por lo que puede tener variaciones de género y número: *sola, solos, solas*.

Sólo = «solamente» «únicamente»
Solo = «sin compañía» «único»

Así, no es lo mismo que el amante le diga a su amada:

Yo *solo* bebo la infusión que de tu cuerpo emana.

A que le diga:

Yo *sólo* bebo la infusión que de tu cuerpo emana.

En el primer caso, el cortejador le está aclarando a la pretendida que él solito, sin ayuda de nadie, bebe de su esencia; en cambio, en el segundo, se palpa la entrega total del apasionado, pues le está diciendo que para él no existe otra más que ella, pues *solamente* bebe de su infusión, de ninguna otra más.

Ahora bien, si hablamos de un asunto más mundano como, por ejemplo, realizar un trabajo en equipo, es importante entender que no es lo mismo que nos digan que:

Joaquín *solo* hará los cuestionarios del proyecto.

A que nos aclaren que:

Joaquín *sólo* hará los cuestionarios del proyecto.

Si bien, en la primera oración estamos seguros de que Joaquín no requerirá de nuestra ayuda para realizar los cuestionarios, en la segunda debemos preocuparnos, pues él *solamente* se dedicará a esta parte del proyecto y todo lo demás tendremos que hacerlo nosotros.

Aquí la palabra clave es *solamente*, es decir, si el *sólo* que se quiere emplear en la oración se puede sustituir por esta palabra, entonces lleva tilde; pero este remplazo debe hacerse sin trampas, o sea, que hay que hacerlo respetando la frase tal como está, porque se ha visto que hay quien, ante un ejemplo como:

> Se nombró libro a una reunión de hojas que formaba un *solo* tomo, y códice a la obra compuesta por varios libros.

Lo ha cambiado a:

> ...una reunión de hojas que *solamente* formaba un tomo...

Entonces concluye que ha de escribir *sólo*. Esto sería correcto si hubiera puesto:

> ...una reunión de hojas que *sólo* formaba un tomo...

Lo cual no difiere en sentido del ejemplo dado, pero sí en sintaxis. No obstante, si hubiera respetado el orden de la oración, no habría podido realizarse tal remplazo:

> ...una reunión de hojas que formaban un *solamente* tomo...

Esta oración es absurda, lo que demuestra que *solo*, en este caso, es un adjetivo.[1]

Por tanto, si es irremplazable, entonces su significado se refiere a algo que es único o a alguien que está sin compañía y, definitivamente, nunca llevará acento escrito.

---

1 Susana Rodríguez-Vida, *Curso práctico de corrección de estilo*, Barcelona: Octaedro, 2006.

Aún/aun

Esta pareja de adverbios rebeldes, aunque solamente se for-
men con tres letras y, en caso de necesidad, un acento o tilde,
generan confusiones muy frecuentes. Sin embargo, distinguir-
los es mucho más fácil de lo que parece:

Aún = «todavía»
Aun = «hasta»
      «incluso»

Equivalencia	Ejemplo
Aún equivale a *todavía*	*Aún* me duele la cabeza. *Todavía* me duele la cabeza. Ella no ha llegado *aún*. Ella no ha llegado *todavía*.
Aun es sinónimo de *hasta* o *incluso*	Te daré un chocolate, o *aun* dos, si te portas bien. Te daré un chocolate, o *hasta* dos, si te portas bien. *Aun* los más atentos tienen ratos de distracción. *Incluso* los más atentos tienen ratos de distracción.

Si viene acompañado de un verbo en gerundio —terminado en -*ando* o -*endo*— no lleva acento, porque equivale a *incluso*:

Aun queriendo, no pude llegar a tiempo.

Lo mismo ocurre en la expresión «*aun* cuando»:

Aun cuando era muy temprano, nos recibieron gustosos.

La regla más sencilla para diferenciarlos es ésta: si la frase en la que se escribe puede llevar *todavía* en lugar de *aún*, el adverbio lleva acento. De otro modo, se queda sin tilde. ✍

Pero, ¿por qué?

Porque es importante conocer por qué no se pueden usar indiscriminadamente *por qué*, *porqué*, *porque* y *por que*, decidimos darle la regla de oro, aunque sea la misma para el uso de muchos otros términos que se parecen, pero que no se escriben igual:[1] todo depende de lo que se quiere decir, o sea, de la función del vocablo.

«Pero, ¿por qué otra vez eso de la función?», dirá usted. Mas no se preocupe, todo es tan simple como tener las respuestas correctas para ganar el juego; por ejemplo, como éste que apela a sus conocimientos.

Así, la primera cuestión es que si usted necesita decir la causa de una acción que el verbo principal de una oración señala, qué debe usar: *porque*, *por qué*, *porqué* o *por que*.

Porque es una conjunción.

Su respuesta debe ser *porque* —junto y sin acento en la *e*—, ya que es una conjunción cuyo uso es justo éste: introducir una oración que diga la causa de una acción, por ejemplo:

> Juan deja flores todos los días en ese árbol, *porque* fue el lugar donde vio a Ana por primera vez.

¡Genial! Ya avanzó una casilla.

En su segundo turno, la pregunta es: ¿cuándo debe escribirse *por que* —separado y sin acento en la *e*—? Y usted debe responder que se usa:

---

1 v. «¡Ay, ay, ay, ay!»; p. 151.

1. Cuando se emplea como una conjunción final, cuyo sentido equivale a *para que*, y va seguida de un verbo en subjuntivo[2] —y es la única ocasión en que también se puede escribir en una sola palabra: *porque*.

> Cuidar, procurar, amar, construir, soñar… Todo *porque* la relación no se acabara.

Por que puede sustituirse por *para que* o *por el que*; o bien, se emplea cuando es necesario el uso de *por* y luego le sigue *que*.

2. Cuando es la combinación del pronombre *que* precedido de la preposición *por*, y se identifica fácilmente, ya que admite que se le anteponga un artículo al pronombre *que* —por *el* que, por *la* que, por *los* que, por *las* que— y puede sustituirse por otros pronombres, como *el cual*, *la cual*, *los cuales* o *las cuales*:

> En el enamoramiento, la mejor razón *por que* ves perfecto a tu amado se llama *reflejo*.

> Es decir: en el enamoramiento, la mejor razón por *la cual* / *por la que* ves perfecto a tu amado se llama *reflejo*.

Porqué es un sustantivo masculino que significa «causa, razón o motivo».

La tercera pregunta consiste en contestar: ¿qué significa *porqué* —junto y con acento—?

Para seguir avanzando, lo mejor es que responda que *porqué* es un sustantivo masculino —es decir, es una sola palabra— que significa «causa, razón o motivo» —que son sus sinónimos—, y que debe ir precedido de un artículo:

> No supo el *porqué* de su decisión.

Como ésta era una pregunta difícil, pues mucha gente se equivoca al escribir este *porqué*, ¡ya avanzó otras tres casillas! Y ha llegado a la pregunta final, en la que va por otros cinco lugares para alcanzar la meta: ¿cuál es la diferencia entre *porqué* y *por qué*?

---

2 Los verbos tienen tres modos: indicativo, subjuntivo e imperativo. El subjuntivo es el que habla de una acción posible, de deseo, creencia o duda.

¿Difícil? No, no se angustie; aquí le va la respuesta: *porqué*, como ya dijimos, es un sustantivo y *por qué* es la combinación de la preposición *por* y del pronombre o adjetivo interrogativo *qué*, por lo que debe usarse siempre que se escriba una oración interrogativa directa:

¿*Por qué* no quieres venir?

O indirecta:

La verdad es que no supe explicarle *por qué* estar solo no es lo mismo que sentirse solo.

¡Felicidades! ¡Ganó!

Y nosotros también, al llegar al final de este capítulo habiéndole explicado todos los porqués de tanto por qué. &

La oración

La oración, una entidad de dos caras

La oración es una estructura de la lengua, rica en clasificaciones y elementos, debido a su importante papel: ser la forma más breve de un mensaje con sentido completo.

Es por eso que a veces se nos presenta con una cara bimembre y luego con otra, unimembre, aunque en realidad ambas constituyan una oración.

Oración:
- Bimembre
- Unimembre

Ahora bien, si nos encontramos con un ejemplo como el que presentamos a continuación:

El pequeño de mirada brillante juega con su patito en la tina.

Es claro que en éste podemos encontrar el verbo —*juega*, presente de indicativo, tercera persona del singular—, el sujeto —*el pequeño de mirada brillante*— y el predicado —*juega con su patito en la tina*—. Entonces, estaremos frente a una de las caras de la oración, cuando es bimembre, precisamente porque está formada por dos miembros: sujeto y predicado —*bi*: «dos»; *membre*: «miembro».

Sin embargo, ésta no es la única faceta de una oración bimembre, puesto que también se puede mostrar así:

Cierro mis ojos para ver.

Si hacemos el mismo ejercicio, podemos encontrar el verbo —*cierro*, presente de indicativo, primera persona del singular—, el predicado —*cierro mis ojos para ver*—, pero, ¿y el sujeto? Pues el sujeto se encuentra indicado por el mismo verbo, que me dice que quien cierra los ojos para ver es la primera persona del singular, es decir: yo. Cuando una oración bimembre se expone de esta manera, decimos que tiene un *sujeto implícito* —o tácito— porque, aunque no está constituido por palabras, se sobrentiende a través del indicador de la persona: el verbo.[1]

¿Qué sucede si lo que se presenta es lo siguiente?:

1. ¡Bah!

2. ¡La policía!

3. Llueve.

4. Hay historias inconfesables.

Las cuatro opciones anteriores carecen de algún elemento: la primera sólo es una interjección; a la segunda le falta predicado; la tercera y la cuarta, no tienen sujeto; no obstante, las cuatro son oraciones.

Entonces, lo que sucede es que nos enfrentamos a la otra cara de la oración, la unimembre —de un solo miembro—, que se define como un grupo de palabras que posee un solo significado, es decir, que transmite información.

Así, *¡Bah!* denota desdén o incredulidad; *¡La policía!* equivale a «llegó la policía»; *Llueve* nos dice que está lloviendo; y *Hay historias inconfesables* expresa que existen anécdotas que no se pueden divulgar. Todo esto nos dice, claramente, que cada una continúa siendo la forma más pequeña de un mensaje con sentido completo.

---

1 El verbo en español tiene marcadores de tiempo, modo, persona y número.

Tal como la oración bimembre, la unimembre también cuenta con su propia faceta y ésta se denomina *oración impersonal*, que es aquella que, aunque tiene verbo —como en los últimos dos casos—, carece de un sujeto como tal.

Ser una entidad cuya presentación tiene tantas posibilidades, nos da la certeza de que, con una cara o más de dos, la oración siempre será la base para expresarnos y ya sea en un saludo, un grito o una narración, su forma es lo que le da riqueza a la expresión. &

Café y vainilla... ¿orgánica?

CONCORDANCIA NOMINAL

La concordancia nominal es la coincidencia de género y número entre el sustantivo y las palabras que lo acompañan y modifican, como el adjetivo y el artículo. Se le llama *nominal* porque al sustantivo se le conoce también como *nombre*; recordemos que ésta es la palabra que usamos para nombrar las cosas, a los animales, a las personas o a los entes abstractos —como *mesa, perro, señora, soledad*—, y que el adjetivo es el que nos dice cómo es aquél, es decir, lo califica —*roja, gordo, amable, desoladora*—. Por su parte, el artículo es el que determina si estamos hablando de algo que es conocido e identificable por el hablante y el oyente, o si se trata de algo indeterminado —*el, lo, los, la, las, un, unos, una, unas.*

Otro caso de concordancia nominal es la del pronombre con su antecedente o consecuente. Un pronombre es la palabra que se usa en lugar del nombre o sustantivo; por ejemplo: «ellos fueron conmigo al cine»; aquí, el pronombre *ellos* sustituye a *mis amigos* o más específicamente a Pablo, Sergio y Juan.

En la oración:

Al mejor cazador se le va la liebre.

> La *concordancia nominal* es la coincidencia de género y número entre el sustantivo y las palabras que lo acompañan y modifican.

El pronombre de objeto indirecto, *le*, debe concordar con su antecedente —porque en este caso se encuentra antes del pronombre—, que es «el mejor cazador». A veces es complicado saber cuál es el antecedente o consecuente del pronombre, porque se puede pensar, por ejemplo, que en la oración anterior es la liebre. Una manera más o menos certera para saber a cuál corresponde es cambiar a plural alguno de los dos sustantivos y las palabras que los acompañan:

A los mejores cazadores *se les va* la liebre.

En cambio, es un error decir:

✗ Al mejor cazador *se les van* las liebres.

También debe haber concordancia entre el sujeto y su atributo o predicativo en una oración copulativa, que es la que lleva los verbos *ser, estar, parecer* o *resultar*; por ejemplo:

La flor *es* roja.

La función *resultó* desastrosa.

Esa chica le *pareció* encantadora.

Si un adjetivo califica a varios sustantivos y éstos son de diferente género, aquél debe ser masculino plural:

Tiene los *pies* y las *manos sucios*.

En cambio, si sólo se concordara con el último sustantivo, podría dar paso a la ambigüedad; por ejemplo, en el enunciado:

✗ Traía un *libro* y una *revista prestada*.

Se entiende que a esa persona le prestaron sólo la revista, pero no el libro. Sin embargo, sí hay algunos casos en los que el adjetivo sólo concuerda con el último sustantivo, y es cuando se concibe a cada elemento como parte de una unidad.

Por ejemplo:

La *crisis* y la *inestabilidad social*.

El *habla* y la *cultura mexicana*.

En términos generales, la mayoría de las personas puede concordar los elementos de la oración sin ningún problema, pero debemos tener cuidado en casos especiales como los anteriores, porque hasta al mejor escritor se le van errores.

✗ Incorrecto	Correcto
Usa corbata y pañuelo *blanco.*	Usa corbata y pañuelo *blancos.*
Produce café y vainilla *orgánica.*	Produce café y vainilla *orgánicos.*
A la señora se *les* perdieron sus llaves.	A la señora se *le* perdieron sus llaves.
Le dijeron a los niños que no podrían entrar.	*Les* dijeron a los niños que no podrían entrar.

Soy la que ¿tengo? el control

CONCORDANCIA VERBAL

La concordancia verbal es la que se establece entre el verbo y el sujeto de una misma oración, los cuales deben coincidir en número y persona; es decir, si el sujeto es *yo*, *tú* o *él* —en singular—, o *nosotros*, *ustedes* o *ellos* —en plural—, el verbo debe estar conjugado también en la persona que le corresponde; por ejemplo: «los perros —ellos— estuvieron aullando», «yo lo vi todo», «usted es la culpable de todas mis angustias».

La *concordancia verbal* es la que se establece entre el verbo y el sujeto de una misma oración, los cuales deben coincidir en número y persona.

En realidad, suele ser muy sencillo saber cómo conjugar el verbo de una oración, porque los hablantes lo hacen automáticamente —si se trata de su lengua materna, desde luego—; pero algunos enunciados no son tan sencillos, porque a veces pueden confundir a quien los profiere. A continuación, presentamos algunos de los casos que pueden suscitar dudas, para ver si de este modo quedan aclaradas.

¿Qué pasa cuando un sujeto tiene varios sustantivos singulares? Pues, simplemente, el verbo va en plural.

Por ejemplo:

La soledad y la tristeza *tiñeron* su vida.

Saturno y Venus se *alinearon*.

El presidente y el senado *firmaron* un acuerdo.

Sin embargo, si estos elementos del sujeto se refieren a una misma cosa o persona, entonces deben ir en singular:

El ensayista y poeta *fue* reconocido.

La esposa y madre *cuida* de su familia.

En el mismo tenor, si entre las partes del sujeto se encuentra un pronombre de segunda persona —o sea, *tú*—, el verbo debe ir en tercera persona plural —es decir, *ellos* o *ellas*—; por ejemplo:

Tú y Lucía *llegaron* tarde.

Pepe, Carlos y tú *pagan* la cuenta.

Si va incluido un *yo*, entonces el verbo debe ir en la primera persona del plural, *nosotros*:

La nena, tú y yo *iremos* al cine.

Él y yo *somos* novios.

Otro tipo de oración que puede ocasionar dudas al momento de saber si el verbo debe ir en singular o plural es la que empieza con «uno de los que» o «una de las que», ya que posee un elemento singular y otro plural. En este caso, se recomienda que el verbo vaya en la tercera persona del plural, porque el sujeto es, en realidad, «los que» o «las que»:

Uno de los que mejor me *caen* es...

Una de las maestras que más me *influenciaron* fue...

Lo incorrecto es:

✗ Uno de los que mejor me *cae* es...

✗ Una de las maestras que más me *influenció* fue...

Enunciados parecidos a los anteriores son los que empiezan con «yo soy uno de los que» o «tú eras uno de los que», en los que el verbo se debe conjugar también en la tercera persona del plural, pues es un error decir:

✗ Tú fuiste uno de los que *votaste* por el PAN.

Lo correcto es:

Tú fuiste uno de los que *votaron* por el PAN.

En el caso de oraciones como «yo soy la que lava», «soy la que barre», «soy la que educa» o «tú eres el que sufre», el verbo debe ir en tercera persona del singular, como vemos en los ejemplos, porque el sujeto es «el que» o «la que», que se encuentra en singular; las oraciones de este tipo en las que el verbo concuerda con la primera o la segunda persona son propias del habla coloquial, en las que se busca dar más énfasis a quien realiza la acción, si bien no se consideran del todo correctas; por ejemplo:

✗ Por fin soy yo la que *pude* alcanzar el puesto.

No es la forma más apropiada de decirlo, sino:

Por fin soy yo la que *pudo* alcanzar el puesto.

Por eso, la próxima vez que diga que usted es algo, piense en cómo va a conjugar apropiadamente el verbo que le sigue, para que usted sea la persona que tiene el control de todo lo que dice.
Incorrecto:

✗ Una de las películas que más me *gustó* fue *Ben-Hur*.

Correcto:

Una de las películas que más me *gustaron* fue *Ben-Hur*.

Incorrecto:

✗ Uno de los viajes que más me *marcó* fue el que hice a Acapulco.

Correcto:

Uno de los viajes que más me *marcaron* fue el que hice a Acapulco.

Incorrecto:

✗ Eres de los que no *sabes* nada.

Correcto:

Eres de los que no *saben* nada.

Incorrecto:

✗ Soy la que *tengo* el control de la casa.

Correcto:

Soy la que *tiene* el control de la casa.

Cada *vez* que quieras escribir *has*...

El día que la *s* se encontró con la *z* la saludó muy cordial-mente y, acto seguido, le dijo:

—Mi querida amiga *z*, me tienes muy preocupada, y es que me estás quitando el trabajo.

La *z*, sorprendida, le preguntó las razones que tenía para imaginarlo, pues siempre había considerado que sus problemas de identidad eran con la *c* y, tan graves, que hasta la Real Academia Española había tenido que intervenir; pero a la *s*... nunca la había visto como rival.

La *s* sabía de lo que hablaba, así que de inmediato tomó entre sus curvas dos ejemplos que dejaron a la *z* desequilibrada:

—*Haz*... no, perdón, *has*, y *ves*, ¿*vez*? Es decir, ¿*ves*?

La *z* no salía de su asombro: ¡hasta la *s* se confundía! Pero esta última, decidida a poner en orden sus asuntos, continuó:

—Resulta que, a veces, cuando alguien quiere escribir: «¿*ves* aquellos pájaros?», te utiliza a ti sin importarle en lo más mínimo que sea una falta ortográfica y termina escribiendo: «¿*vez* aquellos pájaros?». Mientras que, si lo que desea es preguntar sobre la actividad del otro, escribe: «¿*haz* ido al cine?», cuando en realidad debió haber escrito: «¿*has* ido al cine?». ¿Te das cuenta? No me reconocen, no me identifican y no les interesa sustituirme por ti.

Ante este reclamo, la *z* suspiró largamente y por fin dijo:

—Creo que la que debería estar molesta soy yo, pues en más de una ocasión he visto cómo se escribe «*has* lo que te pido», en vez de «*haz* lo que te pido»; o bien, «la *ves* que nos vimos», en lugar de: «la *vez* que nos vimos». Así que eres tú la que me está quitando el trabajo.

La discusión siguió y los ejemplos no faltaron; bueno, hasta el «*haz* de luz» salió proyectado; pero, como la guerra no puede durar por siempre, llegó el momento en que tuvieron que interrumpir sus mutuos reclamos ante la autoridad de la Real Academia Española, que determinó lo siguiente:

USO DE *HAS*

Has = *haber* + participio (*-ado, -ido, -to, -so, -cho*)

Has es la conjugación en presente de indicativo del verbo *haber* —en su acepción de «verbo auxiliar que se usa para conjugar otros verbos en los tiempos compuestos»—, correspondiente a la segunda persona del singular:

> Lo *has usado* correctamente.

USO DE *HAZ*

Haz puede ser:

- Una porción atada de hierbas, leña o cosas semejantes; un conjunto de partículas; rayos luminosos de un mismo origen que se propagan sin dispersión, o aquel conjunto de rectas que pasan por un punto:

  > Reunió un *haz* de leña para el fuego nocturno.

- Una cara o rostro:

  > El *haz* de la hoja es más brillante y lisa que su envés.

- El imperativo del verbo *hacer*:

  > *Haz* tu tarea.

Uso de *ves*

Por su parte, *ves* es la conjugación en presente de indicativo del verbo *ver* —«percibir por los ojos mediante la acción de la luz»—, correspondiente a la segunda persona del singular:

¿*Ves* lo bella que es la pintura?

Uso de *vez*

Vez puede ser:

- La alternancia de acciones o cosas por turno u orden sucesivos:

  Nos toca una *vez* a ti y una *vez* a mí.

- Cada realización de un suceso o de una acción en momento y circunstancias distintos:

  Es la tercera *vez* que me lo dices.

La *s* y la *z* se sintieron complacidas y decidieron celebrar por no haber sido despedidas de sus respectivos empleos, no sin antes pedirles a ustedes, queridos lectores, un gran favor: que, para evitar una nueva confrontación, cada *vez* que quieran escribir *has* o *haz*, utilicen la letra correcta.

Sobre el artículo

Un artículo sobre el artículo

Articular —del latín *articulare* y, a su vez, de *articulus, i* «juntura»— es unir los elementos, ensamblarlos de tal modo que se logre un todo coherente y eficaz. Por eso, el artículo se llamó *artículo*… Pero, vayamos por partes.

Según el *Diccionario de la Lengua Española*, el artículo —del latín *articŭlus, i* y éste del griego αρθρον /*árthron*/— es una «palabra átona que indica si lo designado por el sustantivo es o no consabido»; es decir, nos dice si aquello de lo que estamos hablando, el sustantivo, ya lo tenemos —tanto el hablante como el oyente— como algo conocido y, por tanto, determinado. Sin embargo, no siempre ha sido así; por ejemplo, Antonio de Nebrija[1] nos dice que los artículos son unos pequeños miembros que se añaden al nombre para demostrar de qué género es: *el* para el género masculino, *la* para el femenino y *lo* para el neutro —por ejemplo: *lo* simple, *lo* bello.[2]

Esta discusión debe de haber ido y venido muchas veces, pues recuerdo que, algunas décadas atrás, en mis clases de primaria me decían esto y que el artículo determinaba el número del sustantivo, aunque, para entonces, la gramática de Andrés Bello ya tenía varios ayeres de haberse publicado y había acotado que la única función del artículo es señalar ideas determinadas y consabidas por el oyente o el lector.[3]

El *artículo* es la palabra átona que indica si lo designado por el sustantivo es o no consabido.

---

1 Antonio de Nebrija, *Gramática de la lengua castellana*, estudio y edición de Antonio Quilis, 2a. ed., Madrid: Editora Nacional, 1984.
2 De Nebrija diferencia *el, la* y *lo* de los pronombres al decir que la diversidad de las partes de la oración está en la función que cada elemento desempeña.
3 Andrés Bello, *Gramática de la lengua castellana*, Madrid: Edaf, 1984.

Pero todavía hay más que decir y, para entrar en materia, podemos comenzar con lo que Guido Gómez de Silva dice sobre el artículo: «Cualquiera de un grupo reducido de palabras o de afijos que se usan "en ciertos idiomas" para marcar los sustantivos»,[4] ya que el artículo no existe en todas las lenguas y al español llegó, extrañamente, del griego y no del latín, porque en esta lengua no existía tal.

Los griegos anteponían artículos a todos los nombres o sustantivos, incluso a los propios, como *Pedro* o *María*, y decían: «Ahí viene *el* Pedro. ¡Qué bueno!, porque *la* María ya lo esperaba desde hacía rato». En cambio, los latinos de plano se deshicieron de él y Bello dice que cualquiera que haya leído documentos escritos en el latín bárbaro de la Edad Media española puede darse cuenta de que nuestro artículo proviene del pronombre demostrativo *ille* —«aquel»—.[5] Así, donde hoy decimos «*las* casas» o «*los* molinos», se decía «*illas* casas, *illos* molinos», que después pasó a ser «*elas* casas, *elos* molinos» y, al final, a las formas abreviadas o sincopadas *el, la, lo, los, las*. Aunque el cambio a estas estructuras finales también pudo haber ocurrido así:

- ✖ Al querer decir «*illa* cuna» se iba perdiendo el *il-* y sólo quedaba «*la* cuna».

- ✖ Al querer decir «*ille angelus*» se iba perdiendo el *-le* y quedaba «*il angelus*» y, finalmente, «*el* ángel».

De Nebrija afirma que fue una buena decisión que la lengua española acogiera el artículo para señalar los nombres comunes y, para explicar por qué el artículo debe cumplir esa función, nada mejor que el planteamiento de Bello: «¿Cómo se conoce el género y el número de los sustantivos de la lengua latina, que

---

4 Guido Gómez de Silva, *Diccionario internacional de literatura y gramática*, México: Fondo de Cultura Económica, 1999. El entrecomillado es de la autora.
5 *El*, viene de *ille*; *la*, de *illa* —«aquella»—; *las*, de *illas* —«a aquellas»—; *lo*, de *illum* —«a aquel»— y *los*, de *illos* —«a aquellos».

carecía de artículos? Por su concordancia con los adjetivos»,[6] a lo que añadiríamos que, sobre todo, por las terminaciones de cada declinación, que en latín marca la función del sustantivo. Por ejemplo:

Singular	
Latín	Español
domin-us	el señor
domin-i	del señor
domin-o	a, para el señor
domin-um	al señor
domin-e	¡señor!
domin-o	en, con, por el señor

Plural	
Latín	Español
domin-i	los señores
domin-orum	de los señores
domin-is	a, para los señores
domin-os	a los señores
domin-i	¡señores!
domin-is	en, con, por los señores

6 v. Bello, *op. cit.*

Y así podemos enumerar algunas lenguas en las que el artículo también puede definir género y número o no, puede ser determinado o no, o puede simplemente existir o no; por ejemplo:

- Los artículos señalan género y número en el alemán, francés, griego, italiano y portugués, entre otros.

- Sólo existe el artículo definido —el que especifica al sustantivo ya conocido— en lenguas como el búlgaro, griego, hebreo y macedonio.

- No existe el artículo en lenguas como el checo, chino, finlandés, japonés, latín, letón, lituano, polaco, ruso, serbocroata y swahili.

MALAS INFLUENCIAS

Por todo lo anterior, podemos decir que el artículo es una de esas palabras controvertidas que da mucho de qué hablar y que, definitivamente, es un artículo del que la lengua española no puede prescindir. Sin embargo, estamos a punto de asistir a su extinción, ya lo dice Javier Marías,[7] quizá por un mal calco del inglés o por una incorrecta traducción del mismo, o simplemente por su «permanente contaminación», hemos comenzado a excluir este necesario elemento y terminamos diciendo cosas como: «yo te conozco todo lo que es colonia Nápoles y Roma», en vez de darles a ambas demarcaciones geográficas el *lugar* definido que tienen: «yo conozco *las* colonias Nápoles y Roma». O titulamos libros como: *El libro completo de vampiros*, en lugar de entender que si el título en inglés dice *The Complete Book of Vampires*, es porque en esa lengua no hay necesidad de señalar con un artículo como *the* el sustantivo *vampires*, mientras que en español sí, por lo que es necesario traducir: *El libro completo de los vampiros*, tomando

---

7 Javier Marías, «Caballero de Mancha», sección «Tertulia», *Letras libres*, México: agosto de 2001; p. 72.

en cuenta que esta obra habla de ellos considerándolos una especie única.

Y es verdad: hay lenguas que no tienen artículo, pues la mayor parte de las veces expresan la definición o determinación del sustantivo con declinaciones, entre otras formas —*dies*: «día»; *diei*: «*el* día»—. Pero el español, como el francés, el italiano o el portugués, lo requieren para darle una categoría a cada sustantivo del que se habla.

No nos dejemos engañar cuando un locutor nos diga que «Estados Unidos es el país que más medallas ha conseguido en historia de Juegos Olímpicos», y creamos que está hablando acertadamente, pues esa historia de la que hace referencia no es cualquier historia, es «*la* historia» de «*los* Juegos Olímpicos». «Nuestra lengua se está llenando de estupideces superfluas», dice también Marías, y uno se indigna verdaderamente cuando nombramos a secas cualquier sustantivo y nos olvidamos de su artículo.

Así que no hagamos *mutis* ni sustituyamos el artículo con cualquier cosa —como ocurre con el sesquipedalismo[8] «lo que es»— sumiéndolo en el silencio eterno. Mejor emprendamos la cruzada por su permanencia. &

8 Es una tendencia a alargar, de modo artificial y rimbombante, palabras y frases.

Sobre el gerundio

Ese oscuro verboide del deseo: el gerundio

El *gerundio* en español es —en palabras de la Real Academia Española— una forma invariable no personal del verbo, con terminaciones *-ando*, *-iendo* o *-yendo*, que se usa para denotar estados durativos; o sea, en los que la acción es durable y no nos interesa el comienzo ni el posible fin de la misma. Tiene muy distintos y variados usos, aunque la mayoría de las veces lo reconocemos por su carácter de adverbio.[1]

El *gerundio* es una forma invariable no personal del verbo con terminaciones *-ando*, *-iendo* o *-yendo*.

Si al gerundio se le conoce como una forma no personal del verbo o *verboide*, es porque, a semejanza del participio y del infinitivo, no aclara el tiempo, ni el modo, ni la persona, así que éstos sólo se expresan en conjunción con otros elementos: yo voy caminando, tú vas caminando, él va caminando y así, *ad infinitum*.

Frente al uso del gerundio no es fácil permanecer indiferente; por ejemplo, un ministro brasileño prohibió el uso del gerundio en la redacción de documentos oficiales en portugués;[2] y, si hablamos de casos más cercanos, en español hay quienes prefieren desmembrar, rearmar, reconstruir, pulir y encerar una oración para eliminar esta forma verbal, con el único objeto de ahorrarse cualquier vergüenza respecto a su mal uso, así que sacan al pequeño dictador lingüístico que todos llevamos dentro y sueltan a los perros, para cazarlo.

En este sentido, tiene cabida la célebre anécdota en la que le piden a un redactor que borre todos los gerundios de

---

1 Un adverbio es la parte de la oración que modifica al verbo.
2 En «Brasilia prohíbe los gerundios», *El País*, 3 de noviembre de 2007.

los textos: «Joven —le dicen—, hay que desaparecer todas las terminaciones con -*ando* e -*iendo*». Entonces, él, obediente e implacable, deja de escribir hasta la palabra *cuando*.[3] Así de hilarante, así de trágico. También hay algunos más exagerados, para quienes el gerundio es tan detestable que alucinan nombres como Armando, Rolando o Servando.

Curiosidades lingüísticas:

De «Andando, que es gerundio», «caminando, que es gerundio» y otras frases similares, el diccionario dice que sirven para incitar a hacer prontamente lo expresado por el verbo en gerundio.

En algunas regiones se usa el gerundio en diminutivo:
«Hablamos corriendito, porque era larga distancia».[4]

EL USO DEL GERUNDIO

Para comprender su complejidad, podemos usarlo sin temor, siempre y cuando hagamos caso a algunas reglas simples que trataremos en los siguientes apartados.

GERUNDIO CONJUNTO

Regla

El sujeto de la oración principal debe ser el mismo al que alude el gerundio cuando éste es conjunto.

En este primer punto, sin duda habrá que olvidar oraciones como la siguiente:

El granjero atrapó al conejo comiendo zanahorias.

---

3 Luila Castro, «Un menú con letra y música», *La Nación*, 31 de octubre de 2005.

4 En «Zonas dialectales del español de América», de Francisco Moreno-Fernández, de la Universidad de Alcalá, registra el uso de diminutivos afectivos sobre gerundios y adverbios —como *corriendito* o *ahorita*— a lo largo de Latinoamérica: lo encuentra en el español caribeño, en el del Chaco y los Andes, en el centroamericano e, incluso, en el español de México. La única excepción que marca es el español de Chile.

Debido a que, si bien, el sujeto puede realizar ambas acciones, tendría que ser el granjero quien comiera las zanahorias mientras atrapa al conejo. Por sentido común, sabemos que esto no puede ser así.

Por ello, no hay solución más sencilla para distinguir al sujeto de una oración que hacernos la pregunta: ¿quién es el que realiza la acción del verbo principal y la del gerundio?

Agustín se baña cantando.

De este modo, la oración anterior nos dice que Agustín puede realizar ambas acciones.

GERUNDIO ABSOLUTO

Regla

El gerundio, cuando es absoluto, sí puede tener su propio sujeto, el cual no se refiere ni al sujeto ni al objeto directo de la oración principal y en donde ambas acciones deben ir separadas por una coma:

Siendo el médico de la familia, confiamos en su ética.

La oración nos permite descubrir que el sujeto del gerundio absoluto se refiere al médico y que el verbo *confiamos*, posee otro sujeto tácito: *nosotros*.

✗ GERUNDIO DE POSTERIDAD

Al gerundio de posteridad hay que darle una despedida. Para entender el porqué de este sentido adiós, es imprescindible usar toda nuestra imaginación:

✗ Entró a la habitación sentándose.

Al decir lo anterior, casi podemos recrear cómo es que el sujeto tácito cruza el umbral, mientras se va dando sentones. ¡A eso se le debe llamar una entrada triunfal! Sin dudarlo, este ejemplo describe, de nuevo, la necesidad de que los verbos de la oración sean compatibles.

GERUNDIO DE SIMULTANEIDAD

Despedimos al gerundio de posteridad porque la acción del verbo que está expresado en gerundio tiene que ocurrir simultáneamente o previamente a la del verbo principal:

Ella camina sonriendo.

En ésta oración, las acciones ocurren al mismo tiempo; es decir, son simultáneas. Se puede caminar por la calle, al mismo tiempo que se esboza una sonrisa, por lo que se cumple con otra premisa muy importante: los verbos deben poder realizarse al mismo tiempo. O como en el siguiente caso:

Ella llegó llorando.

Lo que comprueba que se puede llegar a algún lugar a mitad de un ataque de llanto.

GERUNDIO COMPUESTO Y DE ANTERIORIDAD

Un gerundio compuesto surge de la unión del verbo *haber* en gerundio, seguido de otro verbo en participio:

Habiendo corrido diez kilómetros, cayó desfallecido.

Caer es el verbo principal y el sujeto tácito, en la oración, *había* corrido cierta distancia.

Además del gerundio compuesto, otra manera de expresar anterioridad la encontramos en casos como:

José, calmando a la multitud, tomó el control de la situación.

Ésta es una oración que indica que para poder tomar las riendas de ese asunto, José había tenido que calmar a la tan embravecida multitud.

GERUNDIO DE CAUSA

El gerundio puede ser la causa que desemboca en una consecuencia, representada por el verbo principal, como en el siguiente caso:

El colesterol de Roberto disminuyó bebiendo jugo de nopal.

El gerundio de la oración anterior expresa que si no hubiera sido por beber jugo de nopal, entonces no habría obtenido una considerable mejoría.

Un caso más de este ejemplo se establece con la oración, casi publicitaria:

Ahorre luz, gastando en focos Lux.

Aquí, el ahorro no se ve de inmediato en la compra, sino que se verá en la factura del siguiente mes.

GERUNDIO COMO COMPLEMENTO CIRCUNSTANCIAL

El gerundio, además de adverbio, también es un complemento circunstancial —de modo, causa o condición—, aunque necesariamente tiene que estar relacionado con la acción del verbo principal al remitir a acciones que indiquen, por supuesto, circunstancias.

De modo

Le gritó gesticulando.

Podemos inferir que aquel que gritaba lo hacía con grandes aspavientos faciales. Así descubrimos cómo fue la acción principal.

De causa

Bebiendo vodka, Bukowski cayó de la silla.

Lo que implica que si esa bebida de rusos no hubiera estado en las venas del escritor, él jamás habría caído de la silla o, por lo menos, no por ese motivo.

De condición

Apretando el paso, llegarás a la cita.

Este gerundio funciona como una condicional: si, y sólo si, aprietas el paso, podrás llegar.

GERUNDIO COMO ADJETIVO

El gerundio en español no funciona como adjetivo, puesto que no indica cualidades, rasgos ni propiedades, salvo en las excepciones de *hirviendo* y *ardiendo*:

Las casas *ardiendo* en llamas.

El agua *hirviendo*.

Hay que ser precavidos con el uso del gerundio, pero no escuchar su nombre y temblar como flanes. Si bien coincidimos con Andrés Bello respecto a que el gerundio mal empleado es una degradación que desluce al español moderno, eso no quiere decir que su uso pertenezca sólo a los expertos: cualquiera puede usarlo bien, si sigue algunos consejos gramaticales. Así que esta conclusión debería servir como un aliciente para que todos puedan aprender, experimentar e, incluso, equivocarse de vez en cuando hasta dominar el uso de este verboide, esa forma no personal del verbo que nos confirma la fortuna al contar con la inagotable riqueza lingüística del español. ✍

Sobre el pronombre

En lugar del nombre

Los pronombres son las palabras que van en lugar del nombre o sustantivo; por ejemplo, en lugar de «Pedro llegó» se puede decir, «él llegó», «ése llegó» o «quien llegó».

Clases de pronombres
personales, demostrativos, posesivos, indefinidos y relativos

PRONOMBRES PERSONALES

Se refieren a la persona o personas cuyos nombres no se mencionan y que son parte de la acción expresada por el verbo. Existen, a su vez, dos tipos de estos pronombres; el primero de ellos es el de *sujeto*, es decir, el que realiza la actividad que se expresa en la oración.

Pronombre personal de sujeto		
Persona	Singular	Plural
1ª	yo	nosotros, nosotras
2ª	tú	ustedes
3ª	él, ella	ellos, ellas

El segundo tipo es el de los *pronombres de objeto*, los cuales son los que reciben la acción del verbo, ya sea directa o indirectamente; por ejemplo, en la oración «Marta y yo compramos un pastel para el festejado», *Marta y yo* corresponde al sujeto de la oración y puede sustituirse por el pronombre *nosotras* —«nosotras compramos un pastel para el festejado»—, mientras que *un pastel* es el objeto directo, en cuyo lugar puede ponerse el pronombre *lo*: «nosotras *lo* compramos para el festejado»; por su parte, «para el festejado» es el objeto indirecto, y puede sustituirse por *le* —«nosotras *le* compramos un pastel».

Pronombre personal de objeto (singular)	
Persona	objeto directo / objeto indirecto / con preposición
1ª	me / me / (a) mí, conmigo
2ª	te / te / (a) ti contigo
3ª	lo, la / le, se / (a) sí —a él, a ella—, consigo

Pronombre personal de objeto (plural)	
Persona	objeto directo / objeto indirecto / con preposición
1ª	nos / nos / (a, con) nosotros, nosotras
2ª	los, las / les, se / (a) sí —a ustedes—, consigo
3ª	los, las / les, se / (a) sí —a ellos, ellas—, consigo

PRONOMBRES DEMOSTRATIVOS

Los pronombres demostrativos son los que indican que algo se encuentra cerca o lejos del hablante y del oyente; también se les conoce como *deícticos*.[1] Se escriben con acento para diferenciarlos de los adjetivos demostrativos; por ejemplo: «*este* lápiz me gusta», *este* es un adjetivo que refiere cuál de entre los posibles lápices de los que se habla es el que «me gusta»; en cambio, se trata

---

1 La *deixis* es el señalamiento que se realiza mediante ciertos elementos lingüísticos que muestran o hacen patente algo como si se señalara con el índice o con el gesto.

A lo que se hace referencia puede estar presente en la oración, en el contexto, o bien, sólo en la memoria.

de un pronombre cuando el sustantivo lápiz se sustituye: «*éste* me gusta». Los pronombres neutros —*eso, esto, aquello*— no se acentúan ya que no pueden confundirse con alguna otra palabra porque no existe un adjetivo neutro demostrativo.

Pronombres demostrativos (singular)	
Distancia	masculino / femenino / neutro
cerca	éste / ésta / esto
distancia media	ése / ésa / eso
lejos	aquél / aquélla / aquello

Pronombres demostrativos (plural)	
Distancia	masculino / femenino
cerca	éstos / éstas
distancia media	ésos / ésas
lejos	aquéllos / aquéllas

PRONOMBRES POSESIVOS

Al igual que con los demostrativos, los posesivos pueden ser adjetivos y pronombres. Ambos indican que algo, que puede ser singular o plural, masculino o femenino, pertenece a alguien. Los adjetivos posesivos van acompañados de un sustantivo al que califican: *tu* dinero, *nuestros* padres, *sus* amigas; en cambio, los pronombres se encuentran solos, o bien, acompañados de un artículo: el *tuyo*, los *nuestros*, las *suyas*, o en una oración como la siguiente: «Las macetas del corredor son *mías*».

Pronombres posesivos	
Persona	masculino, femenino / singular, plural
1ª	mío, mía / míos, mías
2ª	tuyo, tuya / tuyos, tuyas
3ª	suyo, suya / suyos, suyas

Pronombres posesivos	
Persona	masculino, femenino / singular, plural
1ª	nuestro, nuestra / nuestros, nuestras
2ª	suyo, suya / suyos, suyas
3ª	suyo, suya / suyos, suyas

PRONOMBRES INDEFINIDOS

Los pronombres indefinidos o indeterminados se refieren a personas u objetos en forma imprecisa, es decir, sin que se pueda decir exactamente de qué, quién o cuántos se habla.

Pronombres indefinidos (singular)		
Masculino	Femenino	Neutro
un, uno	una	uno
algún, alguno	alguna	algo
ningún, ninguno	ninguna	nada

Pronombres indefinidos (plural)	
Masculino	**Femenino**
unos	unas
algunos	algunas
ningunos	ningunas[2]

PRONOMBRES RELATIVOS

Los pronombres relativos son los que se refieren a una persona, animal u objeto que anteriormente se ha mencionado, el cual se conoce como antecedente.

Pronombres relativos		
que, quien, quienes	cuyo, cuya	cuando
el, la, lo cual	cuyos, cuyas	cuanto
los, las cuales	donde	como

Entre éstos se encuentran los interrogativos: ¿qué es?, ¿por qué es así?, ¿cómo te llamas?, ¿cuál es el mejor?, ¿cuántos tienes?, ¿cuándo se va?, ¿dónde es?; al igual que los exclamativos: ¡qué padre!, ¡cómo me duele!... 🖎

---

2 Se usa en plural sólo en sustantivos cuyo uso es en plural, pero con sentido singular: «No tengo ningunos lentes oscuros».

¿Le has visto?

Seguramente se ha encontrado con esos letreros que por lo general pegan en las estaciones del metro por los que se busca a una persona extraviada y que dicen en la parte superior «¿Le has visto?». Esos mismos letreros decían antes «¿*Lo* o *la* has visto?»; e, incluso, un amigo mío me hizo notar que, por fin, los habían escrito de manera apropiada. ¿Cómo cree usted que se deba decir?

El *leísmo* consiste en utilizar *le* en lugar de *lo* o *la*.

✗ Leísmo

Si usted dice que *lo* o *la* has visto, tiene toda la razón, y el error consiste en usar *le* en verbos que no lo admiten. A esta inconsistencia se le conoce como *leísmo*. Pero expliquemos de qué se trata esta inconsistencia y por qué la cometemos. Para eso, empecemos desde el principio: ¿qué es un pronombre?

Un pronombre es una palabra que se usa en lugar del nombre, también llamado *sustantivo*. Existen varias clases, pero los que son más fáciles de identificar son los personales:

yo, tú, él, nosotros, ustedes, ellos

Sin embargo, hay otros que también son personales:

me, te, lo, la, nos, los, las

¿Qué diferencia existe entre los primeros y los segundos pronombres? La diferencia estriba en la función que desempeñan dentro de la oración; los primeros funcionan como sujeto —el que hace la acción del verbo— y los segundos son el objeto directo —el que recibe la acción del verbo—. Parece complicado, pero no lo es tanto si se pone un ejemplo como éste: «Mario hace la tarea». En la oración, el sujeto es Mario y se puede sustituir por *él* —*él* hace la tarea—, mientras que «la tarea» es el objeto directo y se puede sustituir por *la* —Mario *la* hace.

Cuando el objeto directo se refiere a una persona, se tiene que agregar la preposición *a*, por ejemplo: «las niñas perdieron *a* su hermanito», «las niñas *lo* perdieron»; pero esto último es lo que suscita algunos problemas, pues también el objeto indirecto se construye con esta preposición: «Uriel regaló flores blancas *a* su jefa».[1]

Como decía, el problema surge cuando las personas confunden el objeto directo, que se refiere a una persona, con el objeto indirecto, y dicen, de este modo, un pronombre por otro; por ejemplo, en lugar de «*lo* has visto» dicen «*le* has visto», o «*le* mataré», en lugar de «*la* mataré». Hay personas que consideran, en estos casos, más apropiado o más culto decir *le* por *lo* o *la* —quizá porque es un error muy común en algunas regiones lingüísticas de España, y a una propensión nuestra al creer que el español peninsular es *mejor* que el de aquí—, pero en realidad es un uso incorrecto que, como refería antes, se conoce como *leísmo*.

Sin embargo, hay que tener cuidado, porque algunos verbos sí admiten *le* o *les* como objeto directo, como *llamar* o *pegar*:

«*Le* llamaron a Angélica».

«*Le* pegaron al niño».

✗ Loísmo y Laísmo

También existe el caso contrario, que es el *loísmo* y el *laísmo*: cuando se usa el pronombre de objeto directo en lugar del indirecto;

---

1 Los pronombres personales de objeto directo e indirecto pueden verse en el capítulo anterior.

si bien, es muy raro que se oiga en México una expresión como «échalo un vistazo a mi escrito» o «la pegó». En España se oyen canciones, como la siguiente:

> [...] Dila si la ves cruzar
> dila pero muy bajito
> dila que estoy medio loco
> dila que loco perdido
> dila que la Inquisición,
> dila que era un gran tormento. [...][2]

De vuelta a los letreros para localizar personas, si usted los ve, que ellos le recuerden que usar *le* por *lo*, *los*, *la* o *las* es una incorrección que debe evitar que otros noten en su conversación o escritura y, de paso, a ver si puede hacer un servicio a la comunidad reconociendo a una persona extraviada.

✗ Incorrecto	Correcto
¿Le has visto?	¿Lo has visto?
Les haré sufrir por lo que hicieron.	Las haré sufrir por lo que hicieron.
Le vistieron con un hermoso traje blanco.	Lo vistieron con un hermoso traje blanco.
La pegó en la cara.	Le pegó en la cara.
Lo llamó a Marco desde la calle.	Le llamó a Marco desde la calle.

2 Versos de la Serenata o «Jota de Perico» de la zarzuela *El Guitarrico*, en un acto y tres cuadros. Música de Agustín Pérez Soriano y letra de M. Fernández de Lapuente y Luis Pascual Frutos.

Más notas gramaticales

Cápsulas ortográficas esenciales

Si las reglas ortográficas permanecieran inasequibles a los simples mortales y pudieran disponer de ellas tan sólo los grandes sabios, bien cabría dispensar su uso a más de uno, pero todos sabemos que no es así, por lo que aquí les dejamos las reglas principales para poder escribir correctamente consonantes de mayor ambigüedad en combinación con otras letras.

El uso de las reglas ortográficas no es exclusivo de sabios e intelectuales.

SE ESCRIBEN CON *B*

1. Las palabras en las que esta letra se encuentra antes de cualquier otra consonante.

Ejemplos:

sombra	obvio	obtener

2. Las palabras en las que esta letra está después de *m*.

Ejemplos:

nombre	ambos	combinación

3. Las partículas *bi, bis, biz*, que significan «dos o dos veces».

Ejemplos:

bilingüe	bicolor	bicéfalo

4. Todas las palabras que comienzan con *bibli-*, del griego βιβλιόν /*biblión*/, «libro».

Ejemplos:

| biblioteca | biblia | bibliófilo |

5. Las terminaciones -*aba*, -*abas*, *ábamos*, -*abais*, -*aban* del pretérito imperfecto de indicativo de los verbos de la primera conjugación: los verbos terminados en -*ar*.

Ejemplos:

| amaba | cantabas | cenábamos |

6. Las terminaciones en -*ble* y -*bilidad*.

Ejemplos:

| amabilidad | confiable | confiabilidad |

7. Las terminaciones en -*bundo* y -*bunda*.

Ejemplos:

| vagabundo | furibunda | meditabundo |

8. Todas las formas de la conjugación de los verbos terminados en -*bir*.[1]

Ejemplos:

| escribir | suscribir | recibir |

9. Las partículas *bene* y *bien*, que significan «bondad».
Ejemplos:

| beneficencia | bienestar | benefactor |

SE ESCRIBEN CON V

1. Las palabras en las que esta consonante se ubica después de *b*, *d* y *n*.

---

1 Empero, hay tres excepciones: *hervir, servir* y *vivir.*

Ejemplos:

| subversivo | adverbio | conversación |

2. Las palabras que antes de esta letra llevan -*ol*.

Ejemplos:

| polvo | olvidar | disolver |

3. Las palabras que comienzan con *vice-*.[2]

Ejemplos:

| vicepresidente | vicenal | viceversa |

4. Las palabras que terminan en -*voro* y -*vora*. Del verbo latino *vorare*, «el que se alimenta de».[3]

Ejemplos:

herbívoro: «el que se alimenta de hierba».

carnívoro: «el que se alimenta de carne».

5. Las palabras que comienzan con *eva-*, *eve-*, *evi-* y *evo-*.[4]

Ejemplos:

| evasión | evento | evidencia |

6. Los adjetivos terminados en -*avo*, -*ava*, -*evo*, -*eva*, -*ivo*, -*iva*, -*ave*, -*eve* e -*ive*, con pronunciación tónica.[5]

Ejemplos:

| bravo | longevo | vivo |
| lava | nueva | nave |

---

2 No confundir con el prefijo *bi-*, que significa «dos».
3 *Víbora* deriva del latín *vipera*; por tanto, no tiene relación con el sufijo -*vora*.
4 Sus excepciones son *ébano*, *ebanista*, *ebonita*.
5 *Árabe* lleva la sílaba tónica en primer lugar.

1. Las palabras en las que esta letra tiene sonido fuerte ante *a, o, u, l* y *r*, antes de la última sílaba.

Ejemplos:

| cloro | crucero | acné |

2. Las palabras que terminan en *-ancia, -ancio, -encia, -encio, -uncia* y *-uncio.*[6]

Ejemplos:

| vagancia | cansancio | creencia |

3. Las terminaciones de los diminutivos *-cito, -ecito, -cico, -ecico, -cillo* y *-ecillo* y sus femeninos correspondientes, salvo que se deriven de palabras con *s* en la última sílaba.

Ejemplos:

| bracito | nuevecito | hombrecillo |

4. Las terminaciones *-cia, -cie* y *-cio*. Son excepciones algunos nombres propios y palabras de origen griego, tales como Rusia, Asia, Dionisio, gimnasio, idiosincrasia, iglesia, anestesia, magnesia, etcétera.

Ejemplos:

| necio | calvicie | democracia |

5. Los verbos que terminan en *-ciar*, así como las palabras de las cuales proceden y las que se derivan de ellas.[7]

Ejemplos:

| acariciar | beneficiar | presenciar |

---

6 Las únicas excepciones son *ansia* y *Hortensia*.
7 Se exceptúan los verbos *ansiar*, *extasiar*, *lisiar*, y sus derivados.

6. Los verbos que terminan en -*cer* y -*cir*, así como los grupos *ce* y *ci* de los derivados de dichos verbos. Solamente se escriben con *s* los verbos ser, coser —con hilo y aguja— toser, asir y sus compuestos, así como las palabras que de ellos se derivan.

Ejemplos:

| agradecer | zurcir | crecer |

7. Los sustantivos terminados en -*ción*, que derivan de palabras acabadas en -*to* y -*do*.[8]

Ejemplos:

| bendición, de bendito |

| erudición, de erudito |

Se escriben con *s*

1. Las palabras que al principio llevan la partícula *es*-, seguida por *b, f, g, l, m* o *q*.

Ejemplos:

| esbozar | esfuerzo | esgrimir |

2. Las palabras que terminan en -*sión*, partícula que se escribe después de *l* y *r*.

Ejemplos:

| propulsión | inmersión | convulsión |

3. La mayor parte de las palabras que terminan en -*sión* y que se reconocen por medio de grupos. Entre los más importantes están:

| admisión | repercusión | pensión |

---

8 Hay otros sustantivos que terminan en -*sión*, pero están relacionados con palabras que llevan *s* en la sílaba final.

4. Los sustantivos que acaban en -*sión*, procedentes de adjetivos terminados en -*so*, -*sor*, -*sible* o -*sivo*.[9]

Ejemplos:

dispersión, de disperso

agresión, de agresor

previsión, de previsible

adhesión, de adhesivo

5. Las terminaciones -*ismo*, -*ista*.

Ejemplos:

egoísmo, egoísta

6. Las terminaciones -*esta*, -*esto*.

Ejemplos:

| manifiesta | dispuesto | compuesta |

7. Las terminaciones -*ísimo* e -*ísima* de los superlativos.

Ejemplos:

| valentísimo | certísima | valiosísimo |

8. Los gentilicios terminados en -*ense*.

Ejemplos:

| coahuilense | hidalguense | jalisciense |

9. Las palabras terminadas en -*sis*.

Ejemplos:

| análisis | hipótesis | ósmosis |

---

9 Excepciones: absorción, deserción, inserción, porción y proporción.

Se escriben con z

1. Los adjetivos terminados en -*az* y -*oz*.

Ejemplos:

| capaz | atroz | arroz |

2. La mayor parte de las palabras terminadas en -*anza*.[10]

Ejemplos:

| bienaventuranza | lanza | chanza |

3. Las palabras terminadas en -*azgo*.

Ejemplos:

| noviazgo | hallazgo | liderazgo |

4. Las palabras que son aumentativos o expresan la idea de golpe, si terminan en -*azo* o -*aza*.

Ejemplos:

| sablazo | manaza | tipazo |

5. Las terminaciones -*ez* y -*eza* de los sustantivos abstractos, que indica que es o tiene lo que señala la raíz.

Ejemplos:

| honradez, de honrado |

| naturaleza, de natural |

6. Las terminaciones -*zuelo* y -*zuela*.

Ejemplos:

| plazuela | liderzuelo | portezuela |

---

10 Las excepciones más notables son *gansa* y *cansa*, esta última del verbo *cansar*.

7. Los sufijos patronímicos, es decir, los apellidos que derivan del nombre del padre, cuyo sufijo es -*ez*.

Ejemplos:

Hernández	López	González

Con el objeto de complementar este capítulo, a continuación se apunta una serie de palabras que llevan *sc*:

adolescencia	discípulo	fluorescente
ascenso	escenario	irascible
consciente	escisión	oscilar
descender	fascinar	disciplina

SE ESCRIBEN CON X

1. Las palabras que llevan el prefijo *ex-*, que antepuesto a un nombre o adjetivo indica que éste fue.[11]

Ejemplos:

exalumno	exrector	exfuncionario

2. Palabras con el prefijo *extra-*, que significa «fuera de».

Ejemplos:

extraordinario	extraoficial	extravagante

3. Palabras que empiezan con *hexa-*, que significa «seis».

Ejemplos:

hexágono	hexámetro	hexaedro

11 Aunque según la Real Academia de la Lengua Española, deben escribirse por separado: *ex alumno, ex rector, ex funcionario*. v. también «Los *ex* y los *bi*»; p. 155.

4. Las palabras que llevan el prefijo *xilo-*, «madera».

Ejemplos:

xilófono	xilografía	xilófago

5. Las palabras con el prefijo *xeno-*, «extranjero».

Ejemplos:

xenofobia	xenofilia	xenófobo

6. Las palabras en las que esta consonante se encuentra antes de las sílabas *-pla, -ple, -pli, -plo, -pre, -pri* y *-pro*.[12]

Ejemplos:

explanada	explotar	exprimir
expletivo	expresar	expropiar

7. Los nahuatlismos con sonidos /sh/, /x/ y /j/.

Ejemplos:

xoconostle	cacomixtle	México

Con el fin de complementar este capítulo, a continuación se incluyen diversas palabras que tienen una *x* al principio, en medio o al final:

exactitud	existencia	excitación
exageración	excedente	excavación
exigir	excelente	exclusivo
xolotzcuintle	excepción	expectativa
xenófilo	exceso	experiencia

12 Las únicas excepciones son *esplenio*, *esplendor*, *espliego*, *esplín*, y sus derivados.

exorbitante	exhausto	Oaxaca
nixtamal	exhibición	extrañeza
yuxtaposición	exhortar	exuberante
exhalación	exhumación	asfixia

Se escriben con G

1. Las palabras que tienen sonido gutural ante *a, o, u* y sonido de jota ante *e, i.*

Ejemplos:

gato	gorrión	gusto
geranio	gis	gelatina

2. Las palabras en las que esta consonante se encuentra siempre ante *l* o *r.*

Ejemplos:

glicerina	grandiosa	gloria

3. Las palabras que llevan intercalada una *u* para que suenen guturales ante *e* o *i.*

Ejemplos:

guepardo	guitarra	guerra
maguey	alguien	aguijón

4. Las sílabas *güe, güi,* cuando debe sonar la *u.*

Ejemplos:

vergüenza	pinguino	antigüedad

5. Los verbos cuya conjugación deba conservar —siempre que sea posible— el sonido que tenga la *g* en el infinitivo. Debido a lo anterior, habrá ocasiones en que se cambie por *gu*, por *j* o por *g*.

Ejemplos:

proteger	protejas	protegía
conseguir	consigas	conseguía

6. Todas las palabras que comienzan o terminan con *geo-*, *-geo*, «tierra».

Ejemplos:

geografía	hipogeo	geocéntrico

7. Las palabras que comienzan con *legi-*, *legis-*, que significa «ley».

Ejemplos:

legítimo	legislar	legislatura

8. Las palabras que terminan en *-logía* —de *logos*—, que significa «tratado o estudio».

Ejemplos:

biología	paleontología	psicología

9. Las palabras en las que esta consonante se encuentra antes de *m* y *n*.

Ejemplos:

enigma	dignidad	dogma

Se escriben con *j*

1. Las palabras que contienen las sílabas *ja, jo, ju*.

Ejemplos:

| jabón | júbilo | arrojo |

2. Todas las formas que llevan esta letra en el infinitivo.

Ejemplos:

| trabajar | dejar | empujar |

3. Las palabras terminadas en *-aje*.

Ejemplos:

| lenguaje | equipaje | viaje |

4. Las palabras que comienzan con *eje-*.

Ejemplos:

| ejercer | ejercicio | ejecutar |

Se escriben con *h*

Las palabras que comienzan con:

1. *Hidr-*, *hidro-*, que significa «agua».

Ejemplos:

| hidráulica | hidrato | hidroeléctrica |

2. *Hiper-*, que significa «sobre, encima, exceso».

Ejemplos:

| hipertensión | hipersensible | hipertexto |

3. *Hipno-*, que significa «sueño».

Ejemplos:

| hipnotismo | hipnosis | hipnótico |

4. *Hip-*, que significa «caballo».

Ejemplos:

| hipódromo | hípico | hipocampo |

5. *Hipso-*, que significa «altura».

Ejemplos:

| hipsómetro | hipsométrico | hipsometría |

6. *Homo-*, que significa «igual».

Ejemplos:

| homogéneo | homosexual | homólogo |

7. *Hetero-*, que significa «diferente».

Ejemplos:

| heterogéneo | heterodoxo | heteronomía |

8. *Hexa-*, que significa «seis».

Ejemplos:

| hexágono | hexadecimal | hexacordo |

9. *Hepta-*, que significa «siete».

Ejemplos:

| heptasílabo | heptágono | heptaedro |

10. *Hect-*, que significa «cien».

Ejemplos:

| hectárea | hectolitro | hectogramo |

11. *Hem-*, que significa «sangre».

Ejemplos:

| hematoma | hemofilia | hemopatía |

12. *Higr-*, que significa «húmedo».

Ejemplos:

| higroscopio | higroma | higrómetro |

13. *Hipo-*, que significa «bajo, debajo».

Ejemplos:

| hipotensión | hipodermis | hipocentro |

SE ESCRIBEN CON Y

1. Las palabras en las que esta consonante se encuentra al final de ellas, con sonido vocálico de *i*, sin acento y si va después de vocal.

Ejemplos:

| Monterrey | jersey | Paraguay |

2. Los plurales de las palabras que terminan en *y*.

Ejemplos:

| rey | ley | buey |
| reyes | leyes | bueyes |

3. La conjunción copulativa *y*.[13]

Ejemplo:

| tú *y* yo |

---

13 Se usa la conjunción *e* si la segunda palabra empieza con *i*, por ejemplo: «tú e Ines». Su excepción es *hierro*.

4. Los verbos irregulares en pasado de indicativo de la segunda y tercera conjugación, terminaciones: *-er, -ir.*

Ejemplos:

de caer, cayeron

de huir, huyeron

de poseer, poseyeron

SE ESCRIBEN CON *LL*

1. Las palabras terminadas en *-illa* e *-illo.*

Ejemplos:

| mesilla | costilla | colmillo |
| cigarrillo | amarillo | parrilla |

2. Las palabras que empiezan con *fa-, fo-, fu-.*

Ejemplos:

| fallaba | folleto | fullería |

SE ESCRIBEN CON *R*

1. Las palabras con sonido de *r* simple.

Ejemplos:

| cara | pared | amarillo |

2. Las palabras con sonido de *r* simple después de *b, c, d, f, g, k, p* y *t.*

Ejemplos:

| brazo | dromedario | gramo |
| cromo | frase | prado |

3. Las palabras con sonido de *r* múltiple al principio de éstas.

Ejemplos:

ratón	rico	rubio
regalo	rosa	ramo

4. Las palabras con sonido de *r* múltiple cuando va después de *l, m, n* y *s*.

Ejemplos:

alrededor	honra	Enrique
rumrum	israelita	Conrado

SE ESCRIBEN CON *RR*

1. Las palabras con sonido de *r* múltiple o *rr,* cuando está entre vocales.

Ejemplos:

perro	turrón	ferrocarril

Mayusculismo

Mi amigo sufre de una rara enfermedad. Esta enfermedad no tiene nombre aún; pero voy a dárselo: se llama o se llamará, si el nombre se acepta y corre buena fortuna, el mayusculismo.

El mayusculismo es la tendencia a escribir con mayúscula una infinidad de palabras que no la necesitan. Es decir, que no la necesitan para el común de los hombres. Porque sí la necesitan para los seres excepcionales que infunden a las palabras un alma misteriosa y tenue.

Yo digo, por ejemplo: «La Noche estaba saturada de Arcanos». Todo caletre medianamente listo comprende que esa noche con mayúscula no es simplemente el fenómeno astronómico que consiste en que la joroba de la vieja Tierra nos tape el Sol... No es tampoco ese túnel por el que, según la audaz expresión de Jules Renard,[1] pasamos todos los días... ¡Digo, todas las noches! La noche de que habla el mayusculista es una entidad, es una entelequia... y su mayúscula inicial debe ser una mayúscula trascendente —por lo demás, ¿quién no escribe con mayúscula, por ejemplo, ¡la Noche en que fue amado!?

El *mayusculismo* es la tendencia a escribir con mayúscula una infinidad de palabras que no la necesitan.

---

1 Jules Renard (1864-1910), crítico literario y dramático, poeta y narrador francés; autor de *El parásito* e *Historias naturales*. [N. del E.]

El sustantivo para un mayusculista casi nunca es común, aun tratándose de los más corrientes sustantivos. Es absurdo —según él— escribir con minúscula los meses, como lo hacen de preferencia los académicos. No hay un enero igual a otro, no sólo desde el punto de vista meteorológico, sino desde el punto de vista astronómico. La Tierra jamás ha andado dos años el mismo camino: ya nunca pasará por donde ha pasado hoy, aunque amontonéis siglos y milenios. Pues, históricamente, ¿cómo va a ser un Enero igual a otro Enero? Y para quienes vamos viviendo esos Eneros, ¡qué diferencia!

«Da un paso el tiempo y las generaciones desaparecen», dijo Chateaubriand.[2] De un Enero a otro no hay ni la trigésima parte de un paso de tiempo —suponiendo que cada paso equivalga a una generación—. Y sin embargo, ¡cuántas caras sonrientes o dolorosas se han desvanecido en la sombra! ¡Cuántas esperanzas menos!

El Hijo, que aún no era una promesa en Enero pasado, en este Enero chilla y se debate ya, porque la Mano —con mayúscula— del sembrador de Vidas —con mayúscula— lo arrojó al planeta. En cambio, el niño que llenaba de risas el ambiente de nuestra casa en el pasado Enero, en éste ya no existe, ya se diluyó como una gotita diáfana en el Océano —con mayúscula— de la Eternidad —con mayúscula—. Cierto es que vosotros sois inmortales y que los eneros —con minúscula— nada pueden traer ni quitar a vuestra sosegada inmutabilidad. Pero el mayusculista dice que él es efímero y que todas las cosas y todos los fenómenos de la vida son individuales, son sustantividades impermutables, tienen una fisonomía peculiar, un alma, en fin, muy suya…

---

2 François-René de Chateaubriand (1768-1848), diplomático y escritor, considerado el fundador del Romanticismo francés. [N. del E.]

Cierto… suele acontecer que acaba el mayusculista por despeñarse en ese plano inclinado que lleva de una simple tendencia a una manía y de una manía a un morbo en toda regla, y entonces viene el mayusculismo agudo al que me refería yo al principio de estas líneas.

Mi amigo adolece de la enfermedad en grado tal que mutila, por ejemplo, la mayúscula a los nombres propios de personas —que, según él, no merecen tener individualidad— y mayusculiza, en cambio, nombres de cosas que quizá no requieran tamaño honor. Escribe, por ejemplo, a su criado: «paco, mándame las Cartas que hayan llegado para Mí». Porque dice que Paco se llama cualquiera, mientras que cada carta es un ramillete de ideas, de afectos, de deseos; es un alma; es el pensamiento de un amigo en la blanca ánfora de un sobre… Si se le dijese que escribiera esta orden que sale frecuentemente de sus labios: «Paco, tráeme un vaso de agua», él escribiría así: «paco, tráeme un Vaso de Agua…». El Vaso es una individualidad; el Agua, más aún. En cuanto al pobre paco, no es más que un galleguito analfabeto —aunque honrado— de los alrededores de Pontevedra.

Llevar el mayusculismo a este extremo es grave, y aconsejo a mis amigos, los poetas, que procuren evitarlo. *Uno* se enferma; pero, como sanar, no sana *uno* jamás.

La congestión mental de mayúsculas todavía no está estudiada y da pie con raya a todas las psicosis moder- [*sic*].*

---

* Tomado de *Cuentos y crónicas* de Amado Nervo, vol. II, México: Universidad Nacional Autónoma de México, 1986.

Tratamiento contra el mal del mayusculismo

Para aliviar el pernicioso mayusculismo, no hay más que seguir la siguiente receta, que puntualiza que sólo van en mayúscula:

- La primera palabra de un escrito y la que va después del punto, así como la que sigue a los puntos suspensivos, si éstos cierran un enunciado.
- La palabra que sigue a un signo de cierre de interrogación (?) o exclamación (!), si no hay coma, punto y coma o dos puntos.
- Los nombres de persona, animal o cosa singularizada. También los apellidos —si comienzan por preposición o artículo, sólo se escriben con mayúscula cuando encabezan la denominación.
- Los nombres geográficos y su artículo llevan mayúscula.
- Los nombres de las divinidades, los atributos divinos o apelativos referidos a Dios, Jesucristo o la Virgen María; los libros sagrados y los conceptos religiosos.
- Los nombres, cuando significan entidad o colectividad como organismo determinado.

Antes que nada

Hace unos días revisaba las fotos de la familia: el abuelo, el tío, la bisabuela… y bueno, andaba con ese sentido de arraigo que de repente le surge a uno y le hace recurrir a las antiguas imágenes de su *ascendencia*... O será, ¿*descendencia*?

La verdad es que somos muchos los que nos hacemos líos con esos dos términos. ¿Cuántas veces no ha escuchado a alguien que, al hablar de sus ancestros, dice sin ningún empacho: «Es que me viene de herencia; todo es culpa de mi *descendencia*», cuando este término se refiere a cualquier persona que procede de otra y no a la que lo antecede? Por eso, nada mejor que introducirse en el tema de los afijos.

Los afijos son los morfemas[1] que se añaden a un vocablo para modificar su significado, y son tres: *prefijos, infijos* y *sufijos*. Comenzaremos por el principio, es decir, con los prefijos, que son los que se colocan delante de una palabra para formar una nueva que se llama *derivada*, precisamente porque resulta de esta unión que altera la estructura original del término.

Los prefijos provienen, generalmente, del griego y del latín. Y para que los *ponga* en el lugar correcto y recuerde que su abuelo es su ascendente mientras que su hijo será su descendiente, aquí le damos una lista de varios de ellos, con su origen y significado.

Los *afijos* son tres: *prefijos, infijos* y *sufijos*. Los primeros van delante, los segundos en medio y los últimos al final.

---

1 ¿Recuerda cuando en sus clases de español de primaria le decían que una palabra se conformaba de morfemas? Bueno, pues si no, entonces le refrescamos la memoria contándole que un morfema es la unidad mínima de un término y que sólo tiene significado gramatical.

Prefijos que provienen del griego		
Prefijo	Significado	Ejemplo
a- [an-, ante vocal]	Privación o negación.	*Anestesia*: pérdida temporal de las sensaciones de tacto y dolor debida a un medicamento.
archi-	Con sustantivos, indica preeminencia o superioridad. Con adjetivos, se usa en el lenguaje coloquial y significa «muy».	*Archidiácono*: dignidad en las iglesias catedrales. *Archisabido*: muy sabido, es decir, que se sabe o se entiende mucho.
cata-	Hacia abajo o por completo.	*Cataclismo*: cualquier tipo de trastorno grave producido por un fenómeno natural.
di-	Oposición o contrariedad. Origen o procedencia. Extensión o propagación. Separación.	*Disentir*: no ajustarse al sentir o parecer de alguien. *Dimanar*: dicho de una cosa, que procede o proviene de otra, o tiene origen en ella. *Difundir*: extender, esparcir, propagar físicamente. *Divergir*: cuando dos o más líneas se van separando gradualmente unas de otras.
endo-	Dentro, en el interior.	*Endógeno*: que se origina o nace en el interior.

Prefijo	Significado	Ejemplo
eu-	Bien.	*Euforia*: sensación de bienestar.
fisio-	Naturaleza.	*Fisioterapia*: método curativo por medios naturales.
hemi-	Medio, mitad.	*Hemisferio*: mitad de la superficie de la esfera terrestre dividida por un círculo máximo.
para-	Contra.	*Paradoja*: idea extraña u opuesta a la común opinión y sentir de las personas.
sin-	Unión.	*Sincronía*: coincidencia de hechos en el tiempo.

Prefijos que provienen del latín

Prefijo	Significado	Ejemplo
ab-, abs-	Separar, evitar.	*Abstemio*: que no bebe vino ni otros líquidos alcohólicos.
circun-	Alrededor.	*Circunvalar*: cercar, ceñir, rodear una fortaleza, una ciudad.
co-, col-, con-, com-	Unión o colaboración.	*Conjetura*: juicio que se forma de las cosas o acaecimientos por indicios y observaciones.

Prefijo	Significado	Ejemplo
extra-	Demasiado, sumamente.	Extrasuave: que es muy blando y liso al tacto.
di-, dis-	Negación o contrariedad.	Disconformidad: que manifiesta oposición, desunión, desacuerdo en los dictámenes o en las voluntades.
in- [se convierte en im- ante b o p y en i- ante l o r]	Negación o privación. Adentro o al interior.	Incauto: falto de cuidado y de juicio. Insacular: poner en un saco, cántaro o urna cédulas o boletas con números o nombres de personas o votos, para después conocer el escrutinio.
infra-	Inferior o debajo.	Infrahumano: inferior a lo que se considera propio de humanos.
pen-	Casi.	Península: casi isla.
pre-	Delante de, anterioridad local o temporal, prioridad o encarecimiento.	Prevenir: anunciar por revelación, ciencia o conjetura algo que ha de suceder.
radio-	Radiación o radiactividad.	Radioterapia: tratamiento mediante radiaciones.

Prefijo	Significado	Ejemplo
sub-	Bajo, debajo de.	*Subyugar*: avasallar, sojuzgar, dominar poderosa o violentamente.
super-, *supra-*	Arriba, encima de, preeminencia, excelencia, grado sumo, exceso.	*Superdotado*: dicho de una persona que posee cualidades que exceden de lo normal.
ulter-, *ultra-*	Más allá o al lado de.	*Ulterior*: que está de la parte de allá de un sitio o territorio; o que se dice, sucede o se ejecuta después de otra cosa.
vice- [*vi-* o *viz-*, también]	En vez de o que hace las veces de.	*Vicepresidente*: persona que hace o está facultada para hacer las veces del presidente.
yuxta-	Junto a.	*Yuxtaponer*: poner algo junto a otra cosa o inmediata a ella.

Después de todo

Después de todo, cuando algo se une a otro surge algo nuevo, se pierde la identidad de cada pieza para formar una nueva entidad y ese nuevo individuo ya no es lo mismo ni nunca lo será… Y nada como los sufijos, expertos en el tema, para contarnos, cómo, a pesar de estar después de todo, dejan su transformadora huella.

Los sufijos son uno de los tres tipos de afijos[1] —del mismo modo que los prefijos y los infijos— que se añaden al final de una palabra para formar una nueva, «derivada de…».[2] Pero los sufijos son verdaderamente revolucionarios, pues, además, suelen cambiar el rango gramatical del vocablo al que se unen, y de acuerdo con ello se clasifican, por lo que pueden ser:

Los *sufijos* se añaden al final de una palabra para formar una nueva.

❂ *Nominalizantes*, porque forman sustantivos:

> Del verbo *gotear,* al sustantivo *goteo.*

❂ *Adjetivizantes*, porque forman adjetivos:

> Del sustantivo *árbol,* al adjetivo *arbóreo.*

❂ *Verbalizantes*, porque crean verbos:

> Del sustantivo *cuento,* al verbo *cuentear.*

❂ *Adverbializantes*, porque forman adverbios:

> Del adjetivo *excepcional,* al adverbio *excepcionalmente.*

---

1 v. el capítulo anterior.
2 Es decir, que procede de esta unión.

Además, también existen otros que son:

- *Aumentativos,* es decir, que contribuyen a aumentar la significación del nombre y del adjetivo al que se unen:

  -ón —*grandulón*—, *-azo* —*manazo*— y *-ote* —*juguetote.*

- *Despectivos,* que señalan el desprecio que el hablante siente por el objeto o cualidad que expresa el término al que se unen:

  -ucho —*flacucho*—, *-aco* —*libraco*—, *-astro* —*poetastro*—, *-acho* —*vulgacho*—, *-ajo* —*latinajo*— y *-orrio* —*villorrio.*

- *Diminutivos,* o sea, que disminuyen la significación de la palabra a la que modifican, o bien, que denotan cariño y afecto:

  -ito —*pequeñito*—, *-ico* —*Albertico*—, *-illo* —*vientecillo*—, *-uelo* —*locuelo*— y *-uco* —*almendruco.*

Ahora que sabemos que los sufijos son los más revolucionarios de los afijos porque cambian el rango gramatical del vocablo al que se unen, terminaremos con aquellos sufijos que no son menos interesantes. Muchos provienen del griego y del latín, y como no queremos que quede incompleta esta lista de sufijos griegos y latinos,[3] le vamos a dar el significado de los más comunes.

Sufijos que provienen del griego		
Sufijo	Significado	Ejemplo
-algia	Dolor.	*Gastralgia*: dolor de estómago.

3 v. el capítulo anterior.

Sufijo	Significado	Ejemplo
-arca, -arquía	Poder o mando.	*Patriarca*: persona que por su edad y sabiduría ejerce autoridad en una familia o en una colectividad. *Monarquía*: organización del Estado en que la jefatura y representación supremas son ejercidas por una persona que, a título de rey, ha recibido el poder por vía hereditaria y puede transmitirlo del mismo modo.
-ciclo	Círculo.	*Hemiciclo*: la mitad de un círculo.
-filia	Afición o simpatía.	*Necrofilia*: atracción por la muerte o por uno de sus aspectos.
-fago	Que come.	*Necrófago*: que se alimenta de cadáveres.
-geno	Que genera, produce o es producido.	*Lacrimógeno*: dicho de ciertos gases que producen lagrimeo.
-lito	Piedra o fósil.	*Osteolito*: hueso fósil.

Sufijo	Significado	Ejemplo
-manía	Inclinación excesiva.	*Grafomanía*: manía de escribir o componer.
	Impulso obsesivo o hábito patológico.	*Piromanía*: tendencia patológica a la provocación de incendios.
	Afición apasionada.	*Melomanía*: afición apasionada por la música.
-patía	Sentimiento, afección o dolencia.	*Neuropatía*: enfermedad del sistema nervioso.
-teca	Lugar en el que se guarda algo.	*Discoteca*: local o muebles donde se guardan discos.

Sufijos que provienen del latín		
Sufijo	Significado	Ejemplo
-áceo	Perteneciente o semejante a.	*Aliáceo*: del latín *alium*, que significa «ajo», es decir, perteneciente o relativo al ajo.
-cida	Matador o exterminador.	*Homicida*: causante de la muerte de alguien.
-cola	Que cultiva o cría.	*Avícola*: relativo al arte de criar y fomentar la reproducción de las aves.
	Que habita en.	*Arborícola*: que vive en los árboles.
-cultura	Cultivo o crianza.	*Agricultura*: arte de cultivar la tierra.

Sufijo	Significado	Ejemplo
-ducción	Que conduce.	*Deducción*: inferir consecuencias de un principio, proposición o supuesto.
-fero	Que lleva, contiene o produce.	*Mamífero*: animal vertebrado cuyo embrión se desarrolla dentro del seno materno.
-forme	En forma de.	*Vermiforme*: con forma de gusano.
-fuga	Que ahuyenta o que huye de.	*Centrífugo*: que se aleja del centro o tiende a alejar algo de él.
-or	Forma sustantivos abstractos masculinos, en gran parte, generados ya en latín. Los que se han formado en español lo han hecho a partir de adjetivos o verbos; en éstos, su significado es, generalmente, el que realiza una acción.	*Rigor*: excesiva y escrupulosa severidad. *Temblor*: acción y efecto de temblar. *Censor*: que censura o a quien se le encomienda dicha misión. *Reflector*: dicho de un cuerpo que refleja.

Sufijo	Significado	Ejemplo
-pedo	Provisto de pie.	*Cuadrúpedo*: dicho de un animal de cuatro pies.
-triz	Forma adjetivos o sustantivos femeninos; significa que realiza una actividad.	*Institutriz*: mujer encargada de la educación o instrucción de uno o varios niños en el hogar doméstico.

¡Ay, ay, ay, ay!

¡Hay, hay, hay, hay!
Canta y no llores, porque cantando
se alegran, cielito lindo, los corazones. [1]

Quirino Mendoza y Cortés

Y no hay *cielito* que lo justifique, porque *ay* no es lo mismo que *hay* ni tampoco que *ahí*, como muchos otros creen. He aquí el porqué.

Empecemos por decir que *ay*, *hay* y *ahí* son palabras que suenan casi igual, pero cuyo significado es diferente, y como estas tres, hay muchas más; por ejemplo:

Ay y hay son palabras homófonas.

tuvo: pretérito de indicativo de la tercera persona del singular del verbo *tener*.
tubo: pieza hueca de forma cilíndrica, abierta por ambos extremos.

a: primera letra del abecedario español; preposición.
ha: presente de indicativo de la tercera persona del singular de *haber*.

casar: contraer matrimonio.
cazar: buscar o seguir a las aves, fieras y otras clases de animales para matarlos.

huno: pueblo mongoloide que ocupó en el siglo V el territorio que se extiende del Volga al Danubio.
uno: que no está dividido en sí mismo.

---

1 *Cielito lindo* transcrita en Internet por alguien que sabe de futbol, y no de ortografía.

Entonces, la cosa es más grave, porque ahora se trata del significado y, a partir de él, de prestar atención a lo que queremos decir para saber cuál es el término que debemos emplear. Así:

- Si queremos expresar sorpresa, dolor, aflicción, miedo o conmiseración, el término correcto es ¡*ay*!

¡Ay, me duele la cabeza!

- *Hay*, si lo que queremos es expresar:

1. Que algo es necesario o conveniente:

Hay que ponernos pronto de acuerdo para terminar a tiempo el trabajo.

2. Que algo existe, no importa si es real o imaginario:

Hay sueños que no se pueden posponer y es importante saberlo.

3. Alguna frase hecha como:

Frase	Significado	Ejemplo
No hay de qué.	Que no hay razón o motivo para algo.	No *hay* de qué preocuparse.
No hay más que pedir.	Que algo es perfecto y no necesita nada más para ser satisfactorio.	Buenos compañeros, una actividad interesante y muchos retos, no *hay* más que pedir.
No hay tal.	Que no es cierto y carece de fundamento.	¿Que sólo porque nos caía mal? ¡No *hay* tal!

Frase	Significado	Ejemplo
Si los hay.	Cuando se quiere reforzar un calificativo.	Es entusiasta y abierta a las nuevas ideas, si las *hay*.

✂ En cambio, *ahí* se emplea para:

1. Precisar un lugar:

   Déjalo *ahí*, sobre el escritorio.

2. Especificar que nos referimos a algo en particular:

   Es precisamente *ahí* donde me atoro.

Y no olvidemos el tan mexicano y coloquial *a'i*, que tiene sus particulares formas de escribirse: *a'i* y *ai*, y que se pronuncia más como *ay* /*ái*/ que como *ahí* /*aí*/, aunque su significado equivale al del segundo en las expresiones:

Frase	Significado	Ejemplo
De por a'i.	Dicho de una cosa común y poco recomendable.	¿Mi suéter? Ah, sí; es de por *a'i*.
Por a'i.	De un lugar no lejano.	Tengo ganas de salir a caminar por *a'i*.
Por a'i, por a'i.	Que se aproxima.	No, no cuesta eso, pero por *a'i*, por *a'i*.

Frase	Significado	Ejemplo
A'i stá, a'i stuvo.	Que se encuentra en un lugar muy a la vista; que «ya no más» o que debe dejarlo hasta ese lugar o momento, es decir, «ya párale».	¿Qué no ves el disco en la mesa? ¡*A'i* stá! ¡Sí te traje la película! ¡*A'i* stuvo!

Por lo tanto, no se deje llevar por los sonidos, sino por el significado, y ponga cada ¡*ay*! en su lugar; de esa forma, quienes lo lean, cantarán en vez de llorar.

Los *ex* y los *bi*

Los prefijos[1] son partículas que se pegan o se anteponen a algunas palabras para agregarles significado. Nuestra atención en este tema debe centrarse en la manera como debemos escribirlos, porque algunas veces los encontramos unidos a la palabra; otras, separados con un guión; y también con un espacio en blanco. ¿Cuál es entonces la manera correcta? Ante tamaña duda será mejor que hagamos algunas reflexiones.

Los prefijos, al igual que otras partículas, deben ir fusionados con una palabra para que así quede completo su significado. No podría decirse sólo *sub*, que significa «abajo», sin decir abajo de qué, o *vice*, sin completar con el cargo después del cual se está. Claro que algunas veces sí se usan algunos prefijos solos, como cuando alguien dice «odio a mi *ex*» o «esa chava es *bi*»; pero en realidad, se dice así porque se sobrentiende que se trata del *exnovio* o de una chica *bisexual*.

Existen prefijos —con los cuales no hay mucho problema—, que siempre aparecen escritos junto a la palabra y juntos forman una unidad, pero con otros —como es el caso de *ex*— la cosa cambia. Lo importante es lo que referí un poco antes, un prefijo va unido a una palabra sin la cual no tendría un significado autónomo. Por este motivo, lo escribimos junto a la palabra. De este modo fue como se formaron palabras como *obsoleto*, *predecir*, *compartir*, *traducir*, *preocupar*, etcétera, y de la misma manera se debe escribir *subteniente*, *vicepresidente*, *posguerra*, y por eso, también preferimos escribir *exnovio*.

Prefijos: partículas que se pegan o se anteponen a algunas palabras para agregarles significado.

---

1 v. «Antes que nada»; p. 139.

Sin embargo, la Real Academia Española recomienda escribir el prefijo *ex* con el significado de «que ya no es o que ha dejado de serlo» separado de la palabra, de modo que quede *ex esposo* o *ex novio*. Tanto esta forma, como la que proponemos son correctas, lo que sí es un uso incorrecto es cuando se escribe separado con un guión, porque esta grafía se usa para unir dos palabras con significado completo y autónomo, o para separar sílabas o indicar el principio y fin de un periodo, como cuando se señalan los años en que nació y murió una persona, y éste no es el caso; bueno, quizá lo sea un poco cuando se trata de un *ex*.

Prefijos	Proponemos
ex-temporáneo	extemporáneo
ex-novio	exnovio
ex-empleado	exempleado
ex-amor	examor
co-terráneo	coterráneo
sub-teniente	subteniente
post-operatorio	postoperatorio
vice-presidencia	vicepresidencia

La democracia de la idiosincrasia

Según la Real Academia Española, la idiosincrasia es el conjunto de «rasgos, temperamento, carácter, etcétera, distintivos y propios de un individuo o de una colectividad». Uno puede decir y cualquiera puede entender que «da idiosincrasia del mexicano lo hace apegado a las tradiciones». El problema viene en el momento de escribir esta palabra. ¿Es con *s* o *c*? Muchas personas podrían creer que se escribe con *c* porque existen palabras que terminan en *-cracia* que llevan esta consonante, como *democracia*, *autocracia*, *gerontocracia* y palabras similares.

Todas las palabras derivadas conservan la ortografía de la que proceden.

El asunto se resuelve y se esclarece, como la mayoría de las veces, recurriendo al origen etimológico. *Idiosincrasia* proviene del griego ιδιοσυγκρασια /*idiosinkrasia*/, de *idios* «propio» y de *synkrasia* «acción de mezclarse», que proviene a su vez de *syn* «juntos» y de *krasis*, «mezcla»; es algo así como la composición propia, lo que cada uno ha tomado de la vida y lo ha adaptado para sí. En cambio, palabras como *democracia* o *autocracia* provienen de otra palabra griega que es *kratia*, «gobierno o autoridad», que deriva de *kratos*: «poder». Democracia es, etimológicamente hablando, el gobierno del pueblo; *gerontocracia*, el gobierno de los ancianos; *autocracia*, el gobierno en manos de una sola persona, etcétera. Pero esto nada tiene que ver con la *idiosincrasia* quizá algo tiene que ver, puesto que el gobierno de los pueblos se relaciona estrechamente con su manera de pensar y su temperamento.

Una regla determinante para la ortografía del español es precisamente que todas las palabras derivadas de otras lenguas conservan la ortografía de la primitiva o inicial —aunque, como siempre, en cuestiones de reglas ortográficas hay muchas y honrosas excepciones—. Es ésta la razón por la que *idiosincrasia* se escriba con *s*, mientras *democracia*, que procede de *kratia*, se escriba con *c*.

Muchas palabras que en latín o griego terminaban en *-tia*, o llevaban esta partícula, evolucionaron al español como *-cia* o *-za*; por eso es que *gratia* se volvió *gracia* o *vagantia*, *vagancia*; de la misma manera, podemos saber, con algunas palabras del español, cuando se escribe *c*, puesto que esta letra evolucionó de una *t* o una *d*; por ejemplo, los sustantivos terminados en *-ción* que derivan de una palabra terminada en *-to*, *-tor*, *-do* o *-dor* se escriben con *c*.

Ejemplos	
de *krasis* —mezcla—	idiosincrasia
de *kratia*—gobierno o autoridad—	democracia
	autocracia
	gerontocracia
	falocracia
de producto	producción
de procurador	procuración
de lector	lección
de medido	medición
de conductor	conducción

Cómo escribir *e-mails* y cartas

Estimado lector:

Comunicarnos con nuestros semejantes, establecer contacto y expresar ideas y emociones siempre ha sido una necesidad intrínseca de los humanos. Por ello, las cartas existen desde tiempos remotos, cuando las civilizaciones comenzaron a practicar la escritura; de hecho, en las excavaciones de algunas ruinas se han encontrado misivas, de tono familiar o mercantil, que sus autores grabaron en tablas de arcilla o trazaron en papiro. Aunque en la actualidad este ejercicio se ha simplificado y ha relajado sus formas con la aparición del correo electrónico, la epístola plasmada en papel no sólo se sigue usando, sino gozando.

Una carta sirve, entre otras cosas, para establecer lazos con una posibilidad adicional: la de réplica.

Y como deseamos que usted se regocije con este placer, aquí le proporcionamos el boceto de la estructura de una carta, para que se anime a dedicarle una a quien su ánimo le inspire; recuerde que escribirle al otro es uno de los ejercicios más ricos y deleitosos, pues no sólo es la expresión básica de las ideas propias, sino que es la oportunidad de comunicarlas a uno o varios receptores para compartir, manifestar e, indudablemente, establecer lazos entre usted y ellos, con una posibilidad adicional: la de réplica.

Fecha

Es el primer elemento de toda carta y debe llevar, preferentemente, el lugar de procedencia y la data en la que se escribe.

Vocativo

Es el saludo que se le da al destinatario para llamar su atención. Puede ser cortés, de acuerdo con el grado de afecto y cercanía que se tenga con el interpelado. Va siempre al principio de la carta y debe ir seguido por dos puntos.

Texto

Es la parte fundamental de la carta, pues en ella se expone el motivo de la misma. De preferencia, debe llevar una introducción y, posteriormente, el asunto a tratar.

Despedida

Es una frase o expresión que se acomoda al final del texto para marcar el fin de la carta de una manera cordial. Comúnmente, aquí puede escogerse entre el «atentamente» o el «cordialmente», o bien, una frase de nuestra propia creación.

Firma

Es el último elemento de la carta y en ella se especifica quién es el autor.

Posdata —*post scriptum*—

La posdata —P. D.: «después de la data o fecha»— o *post scríptum* —P. S.: «después de lo escrito»— es lo que se añade a la carta ya concluida y firmada. Una nota o algo que no tiene que ver con el texto que motivó la misiva; es una conclusión o reflexión posterior, entre otras cosas. No es obligatorio que se incluya.

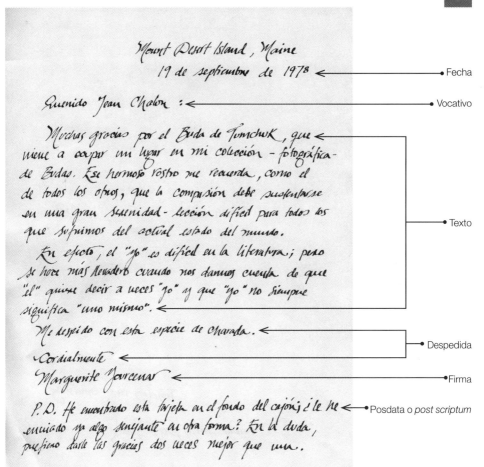

Mount Desert Island, Maine
19 de septiembre de 1978 ← • Fecha

Querido Jean Chalon : ← • Vocativo

Muchas gracias por el Buda de Tomchuk, que ← • Texto
viene a ocupar un lugar en mi colección - fotográfica -
de Budas. Ese hermoso rostro me recuerda, como el
de todos los otros, que la compasión debe sustentarse
en una gran serenidad - lección difícil para todos los
que sufrimos del actual estado del mundo.

En efecto, el "yo" es difícil en la literatura; pero
se hace más llevadero cuando nos damos cuenta de que
"él" quiere decir a veces "yo" y que "yo" no siempre
significa "uno mismo". ←

Me despido con esta especie de charada. ←

Cordialmente ← • Despedida

Marguerite Yourcenar ← •Firma

P. D. He encontrado esta tarjeta en el fondo del cajón; ¿ le he ← • Posdata o *post scriptum*
enviado ya algo semejante en otra forma? En la duda,
prefiero darle las gracias dos veces mejor que una.

Ésta es la estructura básica de cualquier tipo de carta; su uso garantiza la claridad de quienes escribimos y la comprensión de nuestro lector. Confiamos en que le será de utilidad, en especial, cuando nos escriba su propia carta. Mientras tanto, deseamos que disfrute intensamente del placer de relacionarse con los demás.

Cordialmente

Los editores &

Ve y checa tu *e-mail*

Como es bien sabido, para muchos se ha convertido en una tarea diaria estar frente a la pantalla. Por ello, es sorprendente el poco cuidado que algunos demuestran en la redacción de sus correos electrónicos. A continuación, una breve explicación de cómo escribir correctamente un *e-mail.*

El *e-mail* debe incluir las mismas partes de una carta.

Asunto

Muchas personas deciden qué mensajes leer o no en función de la línea del asunto. Lo importante es ser breve, pues no se sabe cuánto tiempo va a conceder el destinatario para decidir si le interesa o no.

Contenido

Es importante saber que no porque un correo electrónico sea perecedero, se debe descuidar y cometer las faltas típicas que todos conocemos; entre ellas, la más importante: omitir las partes de un texto formal, es decir, se deben incluir todas las partes de una carta, excepto la fecha, pues el sistema la agrega automáticamente, sólo hay que verificar que sea correcta.

- *Vocativo.* Va siempre al principio del *e-mail* y debe ir seguido por dos puntos.
- *Texto.* Es la parte fundamental del mensaje. De preferencia debe llevar una introducción y, posteriormente, el desarrollo del asunto a tratar.
- *Firma.* Es el último elemento y en ella se especifica quién es su autor. Se recomienda que la dirección de

correo electrónico sea lo más clara posible para evitar errores y confusiones. Además se pueden agregar algunas firmas distintivas, que no sólo cuenten con el nombre del autor; en ellas se puede colocar alguna frase célebre o una firma institucional. En este último caso, debe ponerse el nombre completo, empresa, cargo, teléfono y todos los datos que sean necesarios para que su interlocutor pueda localizarlo.

✿ *Posdata.* Es lo que se añade a un *mail* ya concluido y firmado: una nota, algo que no tiene que ver con el asunto, una conclusión o meditación posterior que bien puede no existir.

Otras recomendaciones

✿ Cuando es el primer correo que se envía a alguien, es pertinente decir de dónde se ha obtenido la dirección de correo electrónico. Éste siempre es un buen inicio.

✿ No es conveniente abreviar palabras, ya que no todas las personas entienden las convenciones de una minoría. Por ejemplo:

NTC = No te creas

Tmb = También

Rqrda = Recuerda

✿ No escribir sólo con mayúsculas, pues esto no equivale a hablar a gritos.[1]

✿ Todas las páginas de Internet que se incluyan deberán operar desde el propio *e-mail*.

✿ Es importante releer siempre los mensajes y revisar la ortografía antes del envío. ✎

1 v. «Mayusculismo», p. 135.

Abreviaturas

Abreviemos

Abreviar está de moda. Ya que el tiempo y el espacio son cortos y las cosas por hacer, muchas, mejor abreviemos. Hagamos más breves los procesos, reduzcamos los tiempos, tomemos un atajo, aceleremos el paso, apresuremos las vivencias, démonos prisa y, ¿por qué no?, abreviemos las palabras, en el *e-mail*, en el celular, en las pantallas…

Las *abreviaturas* cierran con punto y mantienen la ortografía de la palabra abreviada.

Pero como no sólo se trata de acortar y ¡listo!, he aquí una sucinta guía que le facilitará el camino de la abreviación.

abreviatura. f. —del latín *abreviatura, ae*—. Tipo de abreviación que consiste en la representación gráfica reducida de una palabra mediante la supresión de letras finales o centrales, y que suele cerrarse con punto.[1]

Las abreviaturas no pueden aparecer en cualquier lugar

Las que se refieren a un título o renombre sólo pueden usarse cuando van delante del nombre propio del nominado:

Sr. Reyes, Dr. Carlos —de preferencia, nunca dentro del texto.

Asimismo, no debe escribirse una cantidad con letras y seguirla de la abreviatura del concepto cuantificado:

✗ ¡Me dio cinco *cts*.!

---

1 Real Academia Española y Asociación de Academias de la Lengua Española, *Diccionario panhispánico de dudas*, Bogotá: Aguilar, Altea, Taurus, Alfaguara; 2005.

Lo correcto es:

¡Me dio cinco *centavos*!

La abreviatura debe ser eficaz

Para esto es necesario suprimir, como mínimo, dos letras de la palabra abreviada. Para ello existen dos procedimientos:

1. Por truncamiento o supresión de letras o sílabas finales:

   fig. por *figura.*

   En este caso, la abreviatura nunca debe terminar en vocal. En las palabras que corresponden a fórmulas fijas, se abrevian cada una de las palabras que las integran, incluso los artículos, preposiciones o conjunciones, que se reducen a la letra inicial:

   q.e.p.d. por «que en paz descanse».

2. Por contracción: al eliminar letras centrales y dejar únicamente las más representativas:

   dpto. o *depto.* por *departamento.*

   admón. por *administración.*

Abreviaturas según el género

Si la abreviatura del masculino termina en *-o*, el femenino se forma sustituyendo esta vocal por una *-a*:

prof. por *profesor* y *profa.* por *profesora.*

No obstante, hay que tomar en cuenta que existen abreviaturas que sirven, tanto para el masculino, como para el femenino:

lic. para *licenciado* o *licenciada.*

Abreviaturas según el número

El plural de las abreviaturas depende completamente de su método de formación:

1. Si se obtuvo por truncamiento, se añade -*s*:

    págs. por *páginas*.

    Si la abreviatura está formada por una sola letra, el plural se expresa duplicando la misma:

    pp. por *páginas*.

2. Si se obtuvo por contracción, se aplican las reglas formales para formar un plural, es decir, se agrega -*s* o -*es*, según sea la terminación:

    dupdos. por *duplicados*.

    grales. por *generales*.

3. Si la abreviatura corresponde a una forma verbal, se usa la misma forma que para el singular:

    cp. por *compárese* o *compárense*.

Ortografía de las abreviaturas

1. Mantienen el acento en caso de que lo incluya la palabra de la que se forman:

    cía. por *compañía*.

2. Se escriben con mayúscula o minúscula según la palabra que se abrevia, sea nombre común o propio:

    col. por *colonia*.

    FF. NN. por *Ferrocarriles Nacionales*.

3. Si la abreviatura corresponde a una expresión compleja, se separan mediante un espacio las letras que representan cada una de las palabras:

D. F. por *Distrito Federal.*

4. Se escribe siempre punto detrás de la abreviatura:

cap. por *capítulo.*

A excepción de aquellas en las que éste se sustituye por una diagonal —caso en el que no debe dejarse espacio entre la diagonal y la letra—:

c/u por «cada uno».

Y de las que van entre paréntesis:

(a) por *alias.*

SÍMBOLOS, NO ABREVIATURAS

Los *símbolos* difieren de las abreviaturas al no llevar punto ni tilde; además de que no varía su forma en plural.

Las unidades de medida, los puntos cardinales, los elementos químicos y los nombres de los libros de la Biblia son símbolos, no abreviaturas, y se distinguen de ellas por tres aspectos:

1. No llevan punto final.

2. No se escriben con tilde.

3. No varían su forma en plural:

kg por *kilogramo, km²* por *kilómetros cuadrados, O* por *oeste, Cl* por *cloro, Gn* por *Génesis* o *Lv* por *Levítico.*

Texto y edición

Una cita a ciegas

Para integrar citas en un texto se debe tener presente que éstas deben ser una ayuda y no un problema. Por ello, para que éstas no se conviertan en un martirio, habrá que conocer para qué y cómo se usan, pues introducir una cita «a ciegas» no es buena opción.

La *cita* es la exposición que hace una persona de las ideas de otra.

El primer punto que se debe tener en cuenta es que casi todos los temas han sido tratados por otra persona y que en el momento de realizar un trabajo de investigación se tiene que recurrir a ellos. De ahí la importancia de la cita, ya que sirve para presentar —de modo textual o resumido— aquellas ideas expresadas por otros autores, que sirven de apoyo a quien está investigando y proporcionan mayor información acerca del tema en cuestión. En suma, citar es una manera de sustentar una teoría y de indicar cuáles son las ideas que aporta algún autor y cuáles no.

Ahora bien, hay varios tipos de citas y cada una cumple una función diferente dentro del texto. En seguida se ofrece la explicación de cada una y sus instrucciones de uso.

CITAS TEXTUALES

Como su nombre lo indica, estas citas reproducen el original tal como está escrito: con el léxico, la estructura gramatical, la puntuación, la ortografía y aun con los errores. Pueden ser en prosa —breves o largas— o en verso.

Citas en prosa

Podemos distinguir citas en prosa breves y citas largas. La forma de integrarlas al trabajo varía según su extensión.

Citas breves

Se consideran citas textuales breves las que no pasan de cuatro líneas. Este tipo de citas se incorporan dentro del párrafo y, al hacerlo, debe procurarse que haya una concordancia entre lo que se está diciendo y lo que dice la cita para que el párrafo no pierda fluidez. Siempre van entre comillas.

Ejemplo:

La Guerra Civil española fue campo fértil para la creación poética. El pueblo espontáneamente se lanzó a cantar sus angustias y penas, sus esperanzas y anhelos; en 1937 Emilio Prados recogió, como dice Puccini, "un Romancero de la guerra española, tras realizar una atenta selección reunió un volumen con más de novecientas composiciones de poetas célebres, menos célebres y, sobre todo, desconocidos y anónimos [...]".[8]

8 Darío Puccini, *Romancero de la resistencia española*, México: Era, 1967; p. 61.

Citas largas

El uso de la cita textual extensa puede estar justificado por las siguientes razones:

✥ Cuando es necesario presentar varias ideas del autor que están íntimamente relacionadas entre sí.

✥ Cuando el texto que se requiere transcribir necesita de su propio contexto para precisarse mejor, es decir, que la idea que expresa es tan importante para el trabajo de investigación, que si se elimina una parte o se resume, pierde fuerza y claridad.

Este tipo de citas requiere una presentación distinta a las breves: se interrumpe el renglón en el momento en que debe entrar la cita y ésta se coloca en la siguiente línea; se sangra el margen izquierdo unos cinco o siete espacios y se escribe a renglón seguido, sin comillas.

Ejemplo:

En los mercados en los que predomina la población indígena hay características constantes que se repiten con regularidad.

[…] vendedores de todo tipo tratan de ocupar los mismos lugares cada semana. Productos de la misma clase tienden a ser agrupados; la plaza es entregada a los vendedores de frutas y verduras y a los del chile seco, que se agrupan en la calle que conduce la basílica.[1]

1 Ina R. Dinerman, *Los tarascos: campesinos y artesanos de Michoacán*, México: Secretaría de Educación Pública, 1974; p. 70.

Una cita dentro de otra

Existe la posibilidad de que la cita que nos interesa presentar contenga a su vez una cita; en tal caso es necesario señalar con toda claridad cuál es el texto que corresponde al autor que nosotros citamos, y cuál es el texto que él cita. Este último debe tener un entrecomillado[1] para que las comillas dobles se utilicen como antes indicamos.

Ejemplo:

En 1963 España había sido convertida por las grandes potencias fascistas de Europa en un campo experimental. La reacción popular brotó con el vigor revolucionario que suelen tener los pueblos que luchan por su liberación económica y social. "El momento español, o mejor, el momento antifascista en su primera fase, es […] 'un momento', como ha descrito Italo Calvino, "que era todo a la vez: revolución, realidad, moral y poesía".[11]

11 Italo Calvino, *Cinema Nuovo*, México: Grijalbo, 1989; p. 56.

1 v. «Hay de Comillas a "comillas"», p. 47.

Citas en verso

Las citas de poemas deben escribirse centradas en la página sin comillas y con un tipo distinto de letra, por lo general más pequeña y a renglón seguido. El cambio de una estrofa a otra se marca dejando un espacio doble.

> [...] Finjamos que soy feliz,
> triste pensamiento, un rato;
> quizá podréis persuadirme,
> aunque yo sé lo contrario:
> que pues sólo en la aprehensión
> dicen que estriban los daños,
> si os imagináis dichoso
> no seréis tan desdichado.
>
> Sírvame el entendimiento
> alguna vez de descanso,
> y no siempre esté el ingenio
> con el provecho encontrado.
> Todo el mundo es opiniones
> de pareceres tan varios,
> que lo que el uno que es negro
> el otro prueba que es blanco. [...][7]

7 Sor Juana Inés de la Cruz, «Finjamos que soy feliz», *Poesía completa*, Buenos Aires: Seix Barral,1980; p. 45.

CITAS DE RESUMEN

Estas citas llevan su referencia bibliográfica, pero al igual que las textuales, deben estar integradas al texto, de modo tal que no interrumpan el desarrollo del razonamiento.

Además, son un buen recurso para presentar aquella información que es necesaria, pero no requiere de la precisión de una cita textual. A continuación se señalan algunos de los casos en los que es recomendable su empleo, aunque éste esté determinado por el trabajo mismo.

✖ Exponer a grandes rasgos la teoría propuesta por uno o varios autores.

✖ Situar históricamente un hecho, un autor, una obra, etcétera.

✖ Presentar los diferentes significados de un concepto.

✖ Dar los datos bibliográficos de un personaje.

✖ Ampliar el contexto de una cita textual.

Ejemplo:

> Al analizar la tirada seis del Poema de Mio Cid, D. Alonso llama la atención, indirectamente, sobre la frecuencia de la yuxtaposición, o sea, de la relación que se establece entre las oraciones que forman periodo sin nexo gramatical que las una (aunque sí con nexo prosódico).[2]
>
> 2 Dámaso Alonso, «Estilo y creación en el Poema del Cid», en *Ensayos sobre poesía española*, Madrid: Gredos, 1994; p. 74.

EPÍGRAFES

Son las citas que encabezan un libro o un capítulo. Se eligen porque expresan global y simbólicamente lo que se va a decir a lo largo del libro, capítulo o artículo. Se cita sin comillas y puede ir en *cursivas*; se omite la nota a pie de página y sólo aparece el nombre del autor que se alinea estrictamente al margen derecho.

> *No existen más que dos reglas para escribir:*
> *tener algo que decir y decirlo.*
>
> Oscar Wilde

A sus pies...

Poner notas a pie de página en cualquier tipo de texto puede hacerse una labor compleja por cosas como no saber qué información merece ir como nota, cómo apoyar las citas con notas bibliográficas y el uso de términos como *idem, ibidem, cfr.*, que nos hacen preguntarnos qué significan y para qué sirven específicamente. Por ello, vaya aquí una pequeñísima guía para su uso y conformación.

Las *notas a pie* refuerzan, amplían, corrigen y pagan deudas.

En su libro *Cómo se hace una tesis,*[1] Umberto Eco dice que las notas son necesarias cuando:

1. Se refuerza el texto mediante la información de una autoridad reconocida.

2. Se amplían las aseveraciones que se hicieron en el texto.

3. Se corrigen, mediante una opinión externa, las afirmaciones que hacemos.

4. Se paga una deuda, es decir, se indica el origen de una cita. Y, en este último punto, lo que normalmente registramos es el autor, la obra y sus datos bibliográficos:

---

1 Umberto Eco, *Cómo se hace una tesis: técnicas y procedimientos de estudio, investigación y escritura,* Barcelona: Gedisa, 2001.

> En la Edad Media, «el emblema es un signo que indica la identidad de un individuo o de un grupo de individuos».[1]
>
> 1 Michel Pastoureau, *Una historia simbólica de la Edad Media*, Buenos Aires: Katz, 2006; p. 13.

O en la forma en que se hace en los últimos tiempos, es decir, insertando en el mismo texto una pequeña nota entre paréntesis:

> En la Edad Media, «el emblema es un signo que indica la identidad de un individuo o de un grupo de individuos». (Pastoureau, *Una historia simbólica de la Edad Media*: 2006,13).

Ahora bien, aquí va el para qué de los términos difíciles:

✤ *Idem* significa «lo mismo» y se usa cuando en una cita anterior hemos mencionado el autor, obra y demás datos bibliográficos, y queremos mencionar todo, pero con otras páginas; podemos escribir *idem* o ídem —sin cursivas la última—, según la nueva acotación del *Diccionario panhispánico de dudas*:

> 1 Michel Pastoureau, *Una historia simbólica de la Edad Media*, Buenos Aires: Katz, 2006; p. 13.
>
> 2 *Idem*; p. 143.

✤ *Ibidem* significa «allí mismo, en el mismo lugar» y se usa cuando queremos mencionar íntegra una cita anterior que va en orden sucesivo, incluyendo el número de páginas; de la misma manera podemos escribir *ibidem* o ibídem —también sin cursivas la última—, o las abreviaturas *Ibid.* o *Ib.*:

> 1 Michel Pastoureau, *Una historia simbólica de la Edad Media*, Buenos Aires: Katz, 2006; p. 13.
>
> 2 *Ibid.*

- *Opere citato* significa «en la obra citada» y se usa cuando en una nota anterior se han incluido los datos bibliográficos completos; y en otra nota, no sucesiva, se quieren volver a registrar los mismos. Para ello se incluye sólo el apellido del autor, seguido de la abreviatura *op. cit.* y la página de referencia:

> 1 Michel Pastoureau, *Una historia simbólica de la Edad Media,* Buenos Aires: Katz; 2006; p. 13.
>
> 3 Pastoureau, *op. cit.*, p. 195.

- *Loco citato* significa «en el mismo sitio» y se usa en nota sucesivas para referir a todos los datos de la nota anterior.

> 1 Michel Pastoureau, *Una historia simbólica de la Edad Media,* Buenos Aires: Katz, 2006; p. 13.
>
> 2 *Loc. cit.*

- Los términos *véase, vide* o *videtur* se usan para remitir a una amplificación o comprobación en otros autores de lo que se dice en el texto; se abrevia *v.*, la primera, o *vid.* las dos últimas:

> 1 v. «Le bestiaje héraldique au Moyen Âyen», en *Revue Française d'Heraldique et de Sigillographie*, París: Katz, 1972.

- Confróntese, cuyo equivalente latín es *confer* y se usa para decirle al lector que vaya a otro texto para cotejarlo con el que está leyendo; su abreviatura es *cfr.* o *cf.*

> 1 *cfr.* Élisabeth de Fontenay, *Le silence des bêtes. La philosophie a l'épreuve de l'animalité*, París: Katz, 1998; pp. 138-265.

Entre fichas y ficheras

Tanto las referencias bibliográficas en las notas a pie de página, como la bibliografía, obedecen a normas internacionales, con la finalidad de identificar de manera precisa, las obras utilizadas en la investigación y con ello facilitar las consultas subsecuentes a otros estudiosos. Hay que destacar que los datos de la ficha bibliografica de un estudiante o investigador difieren de los que se incluyen en las fichas de bibliotecas, hemerotecas y archivos, pues en estos casos no sólo se requiere identificar el texto, sino también el objeto físico, con el propósito de proteger el acervo.

Las *referencias bibliográficas* obedecen a normas internacionales, con la finalidad de identificar de manera precisa las obras escritas.

La ficha bibliográfica, que sirve tanto para su localización en la biblioteca como para la posterior elaboración de la bibliografía, comúnmente mide 7.5 cm x 12.5 cm.

Modelo de la ficha bibliográfica

Los datos que deben incluirse en la ficha bibliográfica son:

1. Nombre completo del autor.

2. Título de la obra, en *cursivas*.

3. Editor, prologuista y/o traductor de la obra, si es necesario.

4. Número total de volúmenes, si son más de uno.

5. Número de edición.

6. Pie de imprenta o datos de la publicación. Son tres: lugar de publicación, casa editora y año de publicación.

7. Número del volumen consultado, si es que no se leyeron todos.

8. Número total de páginas.

9. Nombre y número de la colección, si es que la hay.

Ejemplo:

Cervantes Saavedra, Miguel de, *El ingenioso hidalgo Don Quijote de la Mancha,* 2a. ed., Barcelona: Editorial Antalbe, 1954, vol. I; 769 pp.

Modelo de la ficha de revista

Si se trata de una revista, los datos que se incluyen son los siguientes:

1. Nombre del autor, si lo hay.

2. Título del artículo, entrecomillado.

3. Nombre de la revista, en *cursivas*.

4. Volumen y número, si los hay.

5. Fecha o entrega.

6. Números de páginas en las que se encuentra el artículo.

Ejemplo:

Russell, Bertrand, "Hombres eminentes que he conocido", *Algarabía,* Año XI, núm. 46, junio de 2008; pp. 70-74.

Modelo de la ficha de periódico

En el caso de fichas de periódicos, los datos son los siguientes:

1. Nombre del periódico, en *cursivas*.

2. Lugar de publicación, si no va incluido en el nombre del periódico.

3. Número de la edición, cuando se trata de una distinta de la matutina.

4. Fecha, que incluye día, mes y año de publicación del primer número consultado, separado por un guión del día, mes y año del último número consultado.

5. Sección, si la hay y ésta ayuda a la identificación.

6. Página o páginas consultadas.

Ejemplo:

> Grabinsky, Salo, "Del verbo *emprender*", *Excélsior*, México, 24 de enero de 2009; p. 18.

Modelo de la ficha de enciclopedia

Los datos que deben incluirse en las fichas de las enciclopedias y las antologías son los siguientes:

1. Voz consultada, entrecomillada.

2. Nombre de la enciclopedia, en *cursivas*.

3. Año de edición.

4. Volumen consultado.

5. Página o páginas donde aparece el vocablo.

Ejemplo:

> "Brasil: El imperio y la república", *El nuevo tesoro de la juventud*, 1984, vol. XII; pp. 63-79.

Modelo de ficha de antología

Incluso más frecuente que las fichas de enciclopedia es la de antología, que se elabora según el siguiente esquema:

1. Nombre del autor.

2. Título del texto, entrecomillado.

3. Título de la obra, en *cursivas* y precedido de la preposición *en*.

4. Nombre del compilador o antólogo, precedido de las palabras *compilado por*.

5. Número total de volúmenes, si son más de uno.

6. Número de edición.

7. Pie de imprenta: lugar de publicación, casa editora, año de publicación.

8. Número de volumen consultado.

9. Números de páginas correspondientes al texto.

10. Nombre y número de la colección, si es que los hay.

Ejemplo:

Carrera, Mauricio, "Primero el uno, luego el dos", en *Di algo para romper este silencio*, comp. por Guillermo Samperio, 2 vols. México: Lectorum, 2005, vol. II; pp. 161-168, Col. Marea Alta.

Números

Los números romanos

Existen dos sistemas básicos para representar los números mediante signos: la *numeración arábiga*, llamada así porque fue introducida en Occidente por los árabes, y la *numeración romana*, evidentemente, heredada de los romanos. Además, los números pueden representarse mediante palabras, denominadas *numerales*. En la numeración arábiga, cualquier número puede representarse mediante la combinación de sólo diez signos, llamados cifras o dígitos: 0, 1, 2, 3, 4, 5, 6, 7, 8, 9. Por otra parte, la numeración romana se basa en el empleo de siete letras del alfabeto latino, a las que corresponde un valor numérico fijo. Debido a su mayor simplicidad, la numeración arábiga sustituyó, en la Edad Media, al sistema romano, de tal modo que ya no se emplea en la actualidad, salvo en contados casos. En los textos escritos pueden emplearse tanto cifras como palabras, aunque en estas últimas se prefiere usarlas del uno al diez.

La numeración romana se basa en el empleo de siete letras del alfabeto latino, a las que corresponde un valor numérico fijo.

USO DE LOS NÚMEROS ROMANOS

✂ La numeración romana se basa en el empleo de siete letras del alfabeto latino, a las que corresponde un valor numérico fijo:

I (= 1), V (= 5), X (= 10), L (= 50)
C (= 100), D (= 500), M (= 1000).

✼ Aunque en textos antiguos se usaban a veces letras minúsculas para representar los números romanos, hoy deben utilizarse sólo letras con forma mayúscula. Cuando se refieran a sustantivos escritos en minúscula, se recomienda escribirlos en versalitas —letras de figura mayúscula, pero del mismo tamaño que las minúsculas:

> siglo v, páginas xix-xxiii.

✼ Y, en versales —letras mayúsculas de tamaño superior al de las minúsculas—, cuando vayan solos o se refieran a sustantivos escritos con inicial mayúscula:

> Alfonso X.

> II Congreso Internacional.

✼ Cuando los números romanos se usan con valor ordinal, no deben acompañarse de letras voladas:

> ✗ tomo vi°.

> II Guerra Mundial.

✼ Actualmente, no debe repetirse más de tres veces consecutivas una misma letra; así:

> el número 333 se escribe en romanos CCCXXXIII.
> pero 444 no puede escribirse CCCCXXXXIIII: se escribe CDXLIV.

Nunca se repetirá una letra si existe otra que por sí sola representa ese valor; así, no puede escribirse VV para representar el número 10, porque ese valor lo representa la letra X.

✂ Cuando una letra va seguida de otra de valor igual o inferior, se suman sus valores:

> *VI* (= 6), *XV* (= 15), *XXVII* (= 27).

✂ El valor de los números romanos queda multiplicado por mil, tantas veces como rayas horizontales se tracen encima:

> así, $\overline{L}$ (= 50 000), $\overline{\overline{M}}$ (= 1 000 000 000).

Hoy en día, se usan los números romanos, casi siempre con valor ordinal, sólo en los casos siguientes:

✂ En monumentos o lápidas conmemorativas, para indicar los años: *MCMXCIX* (1999). Esta costumbre está cayendo en desuso y actualmente lo más normal es usar la numeración arábiga.

✂ Para indicar los siglos: siglo *XV*, siglo *XXI*, etcétera. Se escriben siempre pospuestos al nombre. No deben usarse, en este caso, números arábigos:

> ✗ *siglo 21.*

✂ Para indicar las dinastías en ciertas culturas: los faraones de la XVIII dinastía. Se escriben normalmente antepuestos al nombre. Pueden sustituirse por la abreviatura del numeral ordinal correspondiente:

> *la 18ª dinastía.*

✂ En las series de papas, soberanos, emperadores y reyes de igual nombre:

> *Juan XXIII, Napoleón III, Felipe IV.*

❦ En la numeración de volúmenes, tomos, partes, libros, capítulos o cualquier otra división de una obra, así como en la numeración de actos, cuadros o escenas en las piezas teatrales:

tomo III, libro II, capítulo IV, escena VIII.

❦ En la denominación de congresos, campeonatos, certámenes, festivales, etcétera:

II Congreso Internacional de la Lengua Española.

XXIII Feria del Libro de Buenos Aires.

Apéndice

Indicativo	Primera conjugación -ar
presente	canto, cantas, canta, cantamos, cantáis, cantan
pretérito perfecto simple / pretérito	canté, cantaste, cantó, cantamos, cantasteis, cantaron
futuro simple / futuro	cantaré, cantarás, cantará, cantaremos, cantaréis, cantarán
pretérito imperfecto / copretérito	cantaba, cantabas, cantaba, cantábamos, cantabais, cantaban
condicional simple / pospretérito	cantaría, cantarías, cantaría, cantaríamos, cantaríais, cantarían
pretérito perfecto compuesto / antepresente	he cantado, has cantado, ha cantado, hemos cantado, habéis cantado, han cantado
pretérito anterior / antepretérito	hube cantado, hubiste cantado, hubo cantado, hubimos cantado, hubisteis cantado, hubieron cantado
futuro perfecto / antefuturo	habré cantado, habrás cantado, habremos cantado, habréis cantado, habrán cantado
pretérito pluscuamperfecto / antecopretérito	había cantado, habías cantado, había cantado, habíamos cantado, habíais cantado, habían cantado
condicional perfecto / antepospretérito	habría cantado, habrías cantado, habría cantado, habríamos cantado, habríais cantado, habrían cantado
Subjuntivo	
presente	cante, cantes, cante, cantemos, cantéis, canten
pretérito perfecto compuesto / antepresente	haya cantado, hayas cantado, haya cantado, hayamos cantado, hayáis cantado, hayan cantado
pretérito imperfecto / pretérito	cantara o cantase, cantaras o cantases, cantara o cantase, cantáramos o cantásemos, cantarais o cantaseis, cantaran o cantasen
pretérito pluscuamperfecto / antepretérito	hubiera o hubiese cantado, hubieras o hubieses cantado, hubiera o hubiese cantado, hubiéramos o hubiésemos cantado, hubierais o hubieseis cantado, hubieran o hubiesen cantado
futuro simple / futuro	cantare, cantares, cantare, cantáremos, cantareis, cantaren
futuro perfecto compuesto / antefuturo	hubiere cantado, hubieres cantado, hubiere cantado, hubiéremos cantado, hubiereis cantado, hubieren cantado
Imperativo	canta (cantá), cantad*
Formas no personales	
Infinitivo	cantar
Gerundio	cantando
Participio	cantado

INDICATIVO	SEGUNDA CONJUGACIÓN -*er*
presente	temo, temes, teme, tememos, teméis, temen
pretérito perfecto simple / pretérito	temí, temiste, temió, temimos, temisteis, temieron
futuro simple / futuro	temeré, temerás, temerá, temeremos, temeréis, temerán
pretérito imperfecto / copretérito	temía, temías, temía, temíamos, temíais, temían
condicional simple / pospretérito	temería, temerías, temería, temeríamos, temeríais, temerían
pretérito perfecto compuesto / antepresente	he temido, has temido, ha temido, hemos temido, habéis temido, han temido
pretérito anterior / antepretérito	hube temido, hubiste temido, hubo temido, hubimos temido, hubisteis temido, hubieron temido
futuro perfecto / antefuturo	habré temido, habrás temido, habrá temido, habremos temido, habréis temido, habrán temido
pretérito pluscuamperfecto / antecopretérito	había temido, habías temido, había temido, habíamos temido, habíais temido, habían temido
condicional perfecto / antepospretérito	habría temido, habrías temido, habría temido, habríamos temido, habríais temido, habrían temido
SUBJUNTIVO	
presente	tema, temas, tema, temamos, temáis, teman
pretérito perfecto compuesto / antepresente	haya temido, hayas temido, haya temido, hayamos temido, hayáis temido, hayan temido
pretérito imperfecto / pretérito	temiera o temiese, temieras o temieses, temiera o temiese, temiéramos o temiésemos, temierais o temieseis, temieran o temiesen
pretérito pluscuamperfecto / antepretérito	hubiera o hubiese temido, hubieras o hubieses temido, hubiera o hubiese temido, hubiéramos o hubiésemos temido, hubierais o hubieseis temido, hubieran o hubiesen temido
futuro simple / futuro	temiere, temieres, temiere, temiéremos, temiereis, temieren
futuro perfecto compuesto / antefuturo	hubiere temido, hubieres temido, hubiere temido, hubiéremos temido, hubiereis temido, hubieren temido
IMPERATIVO	teme (temé), temed*
FORMAS NO PERSONALES	
Infinitivo	temer
Gerundio	temiendo
Participio	temido

INDICATIVO	TERCERA CONJUGACIÓN *-ir*
presente	parto, partes, parte, partimos, partís, parten
pretérito perfecto simple / pretérito	partí, partiste, partió, partimos, partisteis, partieron
futuro simple / futuro	partiré, partirás, partirá, partiremos, partiréis, partirán
pretérito imperfecto / copretérito	partía, partías, partía, partíamos, partíais, partían
condicional simple / pospretérito	partiría, partirías, partiría, partiríamos, partiríais, partirían
pretérito perfecto compuesto / antepresente	he partido, has partido, ha partido, hemos partido, habéis partido, han partido
pretérito anterior / antepretérito	hube partido, hubiste partido, hubo partido, hubimos partido, hubisteis partido, hubieron partido
futuro perfecto / antefuturo	habré partido, habrás partido, habremos partido, habréis partido, habrán partido
pretérito pluscuamperfecto / antecopretérito	había partido, habías partido, había partido, habíamos partido, habías partido, habían partido
condicional perfecto / antepospretérito	habría partido, habrías partido, habría partido, habríamos partido, habríais partido, habrían partido

SUBJUNTIVO	
presente	parta, partas, parta, partamos, partáis, partan
pretérito perfecto compuesto / antepresente	haya partido, hayas partido, haya partido, hayamos partido, hayáis partido, hayan partido
pretérito imperfecto / pretérito	partiera o partiese, partieras o partieses, partiera o partiese, partiéramos o partiésemos, partierais o partieseis, partieran o partiesen
pretérito pluscuamperfecto / antepretérito	hubiera o hubiese partido, hubieras o hubieses partido, hubiera o hubiese partido, hubiéramos o hubiésemos partido, hubierais o hubieseis partido, hubieran o hubiesen partido
futuro simple / futuro	partiere, partieres, partiere, partiéremos, partiereis, partieren
futuro perfecto compuesto / antefuturo	hubiere partido, hubieres partido, hubiere partido, hubiéremos partido, hubiereis partido, hubieren partido
IMPERATIVO	parte (partí), partid*

FORMAS NO PERSONALES	
Infinitivo	partir
Gerundio	partiendo
Participio	partido

* En el imperativo, sólo se registran las formas propias, esto es, las correspondientes a la segunda persona del singular y del plural.

Créditos

«El canto del signo»
Alí Chumacero
Nació en Acaponeta, Nayarit, en 1918. Fundó la
revista *Tierra Nueva*, dirigió *Letras de México*, colaboró
en *El Hijo Pródigo* y participó en la fundación de
México en la Cultura, suplemento del diario *Novedades*.
Desde 1964 pertenece a la Academia Mexicana de la
Lengua y ha sido galardonado con los premios Xavier
Villaurrutia (1984), Alfonso Reyes (1986) y Nacional
de Lingüística y Literatura (1987).

«Mayusculismo»
Amado Nervo
Nació en Tepic, Nayarit, en 1870. Fue un prolífico
escritor de cuentos, semblanzas, artículos
humorísticos, reseñas teatrales, crítica de libros,
artículos dialogados, crónicas, novelas y muchos
versos. Murió en Montevideo, Uruguay, en 1919.

«Examen de "ingles" para señoritas»
«Cápsulas ortográficas esenciales»
«Ve y checa tu *e-mail*»
«Una cita a ciegas»
«Entre fichas y ficheras»
«Los números romanos»
Modesta García Roa
Es una joven estudiosa de la palabra, egresada de la
licenciatura en Lengua y Literaturas Hispánicas de
la Facultad de Filosofía y Letras de la Universidad
Nacional Autónoma de México, que dispone su vida
a disfrutar del resplandor de los versos, la sabiduría
del lenguaje, los misterios de la cocina y el arte de la
amistad.

«Café y vainilla... ¿orgánica?»
«Soy la que ¿tengo? el control»
«En lugar del nombre»
«¿Le has visto?»
«Los *ex* y los *bi*»
«La democracia de la idiosincrasia»
Cintia Calderón Bustamante
Es egresada de la Maestría en Letras de la
Universidad Nacional Autónoma de México. El amor
a la literatura la ha llevado por extraños vericuetos,
pero siempre al mismo destino: verse frente a la
página escrita o la pantalla pensando sobre palabras,
en palabras y los sortilegios que provocan.

«Un artículo sobre el artículo»
«*Sólo* o *solo*»
«Una coma en el camino»
«Entre paréntesis»
«¿Y qué pasó entonces...?»
«Cada *vez* que quieras escribir *has*...»
«"Lo crítico del acento diacrítico"»
«Pero, ¿por qué?»
«La oración, una entidad de dos caras»
«¡Ay, ay, ay, ay!»
«Antes que nada»
«Estimado lector:»
«Abreviemos»
«A sus pies...»
«Después de todo»
Karla Bernal Aguilar
Es una comunicóloga que cree —como dogma de
fe— que hablando se entiende la gente. Por esa
creencia fue que dedicó algunos años de vida al
«hablar y escribir bien» de la revista *Algarabía*. Y es
que pocas cosas son tan apasionantes como saber de
las palabras, su origen, su devenir, su función y cómo
hacen de cada frase «un algo» inteligible.

«¡¿Que qué?!»
Ernesto Bartolucci
Es maestro en lingüística hispánica por la Universidad
Nacional Autónoma de México. Fue coordinador de
arte y humanidades en la Dirección de Educación
Continua de la Universidad Iberoamericana, y es
admirador de Maradona.

«"Lo mío es punto y aparte"»
«Entre dos puntos estás...»
«Hay de Comillas a "comillas"»
«El punto y coma»
«Ese oscuro verboide del deseo: el gerundio»
Sofía Reyes
Es comunicóloga egresada de la Universidad Nacional Autónoma de México. Cree que Borges jamás
abusa del punto y coma, que Rulfo es magnífico
cuando usa dos puntos, que la región de Comillas es
tan espectacular como ver unas comillas bien puestas.
Por eso, como Manuel Alvar, piensa que la lengua nos
hace y en ella nos creamos, y que la mínima gratitud
hacia ella es usarla de la mejor manera posible, por lo
que echará mano de una frase para ello: «escribiendo
bien, que es gerundio».

Índice de términos

Índice general

COLOFÓN

Este libro fue impreso en la ciudad de México
en el mes de agosto de 2011, en Encuadernaciones Maguntis.
Se formó con las familias Baskerville y Helvetica Neue.
Diseño: Lucero Elizabeth Vázquez Téllez.
Formación: Estela M. Pérez Bernal.
Corrección: Jorge Sánchez y Gándara y Karla Bernal Aguilar.